RAPHAEL'S ASTI

Ephemeris of the

for 201

A Complete Aspectarian

Mean Obliquity of the Ecliptic, 2015, 23 ° 26′ 13″

INTRODUCTION

Greenwich Mean Time (GMT) has been used as the basis for all tabulations and times. The tabular data are for 12h GMT except for the additional Moon tabulations (headed 24h). All phenomena and aspect times are now in GMT (to obtain Local Mean Time of aspect, add / subtract the time equivalent of the longitude E / W respectively). The zodiacal sign ingresses are integrated with the Aspectarian as well as in a separate table (inside back cover). Additionally, the 10-daily positions for Chiron, the four of the larger asteroids (Ceres, Pallas, Juno and Vesta) and the Black Moon Lilith have been drawn from Raphael's definitive 151-year Ephemeris (page 37).

BRITISH SUMMER TIME

British Summer Time begins on March 26 and ends on October 29. When *British Summer Time* (one hour in advance of G.M.T.) is used, subtract one hour from B.S.T. before entering this Ephemeris. These dates are believed to be correct at the time of printing.

ISBN: 978-0-572-04625-5

A CIP record for this book is available from the British Library

Printed in Great Britain by Martins the Printers

W. Foulsham & Co. Ltd. London
The Old Barrel Store, Draymans Lane,
Marlow, Bucks, SL7 2FF, England

NEW MOON–Jan.28,00h.07m. (8°♒15′)

D M	D W	Sidereal Time	☉ Long.	☉ Dec.	☽ Long.	☽ Lat.	☽ Dec.	☽ Node	24h. ☽ Long.	24h. ☽ Dec.
		h m s	° ′ ″	° ′	° ′ ″	° ′	° ′	° ′	° ′ ″	° ′
1	Su	18 45 19	11 ♑ 15 54	22 S 57	18 ♒ 13 02	1 N26	14 S 00	6 ♍ 12	24 ♒ 38 16	12 S 29
2	M	18 49 16	12 17 05	22 52	1 ♓ 06 31	0 N18	10 48	6 09	7 ♓ 37 58	8 58
3	T	18 53 12	13 18 15	22 46	14 12 51	0 S 52	7 01	6 06	20 51 25	4 57
4	W	18 57 09	14 19 25	22 40	27 33 54	2 01	2 S 49	6 03	4 ♈ 20 31	0 S 38
5	Th	19 01 06	15 20 34	22 33	11 ♈ 11 29	3 05	1 N36	5 59	18 06 55	3 N49
6	F	19 05 02	16 21 43	22 26	25 06 54	3 59	6 01	5 56	2 ♉ 11 25	8 09
7	S	19 08 59	17 22 52	22 18	9 ♉ 20 18	4 39	10 11	5 53	16 33 17	12 05
8	Su	19 12 55	18 24 00	22 10	23 49 58	5 03	13 50	5 50	1 ♊ 09 44	15 22
9	M	19 16 52	19 25 08	22 02	8 ♊ 31 55	5 07	16 40	5 47	15 55 40	17 41
10	T	19 20 48	20 26 15	21 53	23 20 00	4 51	18 25	5 44	0 ♋ 43 57	18 50
11	W	19 24 45	21 27 22	21 43	8 ♋ 06 27	4 16	18 56	5 40	15 26 30	18 42
12	Th	19 28 41	22 28 29	21 34	22 43 07	3 24	18 10	5 37	29 55 26	17 20
13	F	19 32 38	23 29 35	21 23	7 ♌ 02 43	2 20	16 15	5 34	14 ♌ 04 23	14 55
14	S	19 36 35	24 30 41	21 13	21 00 01	1 S 09	13 24	5 31	27 49 21	11 43
15	Su	19 40 31	25 31 47	21 02	4 ♍ 32 17	0 N04	9 54	5 28	11 ♍ 08 53	8 00
16	M	19 44 28	26 32 52	20 50	17 39 20	1 14	6 01	5 24	24 03 55	4 N00
17	T	19 48 24	27 33 57	20 39	0 ♎ 23 03	2 19	1 N59	5 21	6 ♎ 37 12	0 S 02
18	W	19 52 21	28 35 02	20 26	12 46 54	3 16	2 S 02	5 18	18 52 44	3 59
19	Th	19 56 17	29 ♑ 36 06	20 14	24 55 19	4 03	5 53	5 15	0 ♏ 55 16	7 42
20	F	20 00 14	0 ♒ 37 10	20 01	6 ♏ 53 12	4 38	9 25	5 12	12 49 46	11 03
21	S	20 04 10	1 38 14	19 47	18 45 33	5 01	12 34	5 09	24 41 08	13 57
22	Su	20 08 07	2 39 17	19 34	0 ♐ 37 06	5 12	15 11	5 05	6 ♐ 33 56	16 17
23	M	20 12 04	3 40 20	19 20	12 32 09	5 09	17 12	5 02	18 32 09	17 55
24	T	20 16 00	4 41 22	19 05	24 34 20	4 52	18 28	4 59	0 ♑ 39 01	18 47
25	W	20 19 57	5 42 24	18 50	6 ♑ 46 29	4 22	18 54	4 56	12 56 57	18 47
26	Th	20 23 53	6 43 25	18 35	19 10 36	3 39	18 27	4 53	25 27 32	17 53
27	F	20 27 50	7 44 25	18 20	1 ♒ 47 49	2 45	17 05	4 49	8 ♒ 11 28	16 03
28	S	20 31 46	8 45 25	18 04	14 38 29	1 41	14 49	4 46	21 08 49	13 23
29	Su	20 35 43	9 46 23	17 48	27 42 25	0 N31	11 47	4 43	4 ♓ 19 10	10 00
30	M	20 39 39	10 47 20	17 31	10 ♓ 59 00	0 S 42	8 05	4 40	17 41 48	6 03
31	T	20 43 36	11 ♒ 48 17	17 S 15	24 ♓ 27 30	1 S 53	3 S 56	4 ♍ 37	1 ♈ 15 58	1 S 45

D M	Mercury Lat.	Mercury Dec.		Venus Lat.	Venus Dec.		Mars Lat.	Mars Dec.		Jupiter Lat.	Jupiter Dec.
	° ′	° ′	° ′	° ′	° ′	° ′	° ′	° ′	° ′	° ′	° ′
1	3 N06	20 S 19	20 S 15	1 S 25	13 S 29	13 S 02	0 S 52	8 S 40	8 S 21	1 N 17	7 S 05
3	3 13	20 13	20 12	1 16	12 36	12 09	0 50	8 03	7 45	1 17	7 09
5	3 12	20 14	20 17	1 07	11 42	11 14	0 48	7 27	7 09	1 18	7 13
7	3 04	20 21	20 27	0 58	10 47	10 19	0 46	6 50	6 32	1 18	7 16
9	2 52	20 34	20 42	0 48	9 51	9 23	0 44	6 13	5 55	1 19	7 20
11	2 36	20 50	20 59	0 37	8 55	8 27	0 42	5 36	5 18	1 19	7 23
13	2 18	21 08	21 17	0 26	7 59	7 30	0 40	4 59	4 41	1 20	7 26
15	1 59	21 26	21 35	0 14	7 02	6 33	0 38	4 22	4 03	1 20	7 29
17	1 40	21 43	21 52	0 S 02	6 05	5 36	0 36	3 45	3 26	1 21	7 31
19	1 20	21 59	22 06	0 N 12	5 07	4 39	0 34	3 07	2 48	1 21	7 33
21	1 01	22 12	22 17	0 25	4 10	3 41	0 32	2 30	2 11	1 22	7 35
23	0 42	22 22	22 26	0 39	3 13	2 44	0 30	1 52	1 34	1 22	7 36
25	0 24	22 28	22 30	0 54	2 16	1 48	0 28	1 15	0 56	1 23	7 38
27	0 N06	22 30	22 30	1 09	1 19	0 S 51	0 27	0 S 37	0 S 19	1 23	7 39
29	0 S 10	22 28	22 S 25	1 25	0 S 23	0 N05	0 25	0 00	0 N 19	1 24	7 40
31	0 S 26	22 S 21		1 N 42	0 N32		0 S 23	0 N37		1 N 24	7 S 40

FIRST QUARTER–Jan. 5,19h.47m. (15°♈40′)

FULL MOON – Jan.12,11h.34m. (22°♋27′)

D M	☿ Long.	♀ Long.	♂ Long.	♃ Long.	♄ Long.	♅ Long.	♆ Long.	♇ Long.
	° ′	° ′	° ′	° ′	° ′	° ′	° ′	° ′
1	2♑42	28♒02	9♓54	21♎12	21♐26	20♈34	9♓45	16♑58
2	1R 40	29♒07	10 39	21 18	21 32	20 34	9 46	17 00
3	0 47	0♓11	11 25	21 24	21 39	20 34	9 48	17 02
4	0♑04	1 16	12 10	21 30	21 46	20 34	9 49	17 04
5	29♐31	2 19	12 55	21 36	21 53	20 35	9 51	17 06
6	29 08	3 23	13 41	21 41	21 59	20 35	9 52	17 08
7	28 55	4 26	14 26	21 47	22 06	20 36	9 54	17 10
8	28D 51	5 29	15 11	21 52	22 13	20 36	9 55	17 12
9	28 56	6 32	15 56	21 57	22 19	20 37	9 57	17 14
10	29 09	7 34	16 42	22 02	22 26	20 37	9 58	17 16
11	29 30	8 36	17 27	22 07	22 32	20 38	10 00	17 18
12	29♐57	9 37	18 12	22 11	22 39	20 39	10 02	17 20
13	0♑31	10 38	18 57	22 16	22 45	20 39	10 03	17 22
14	1 10	11 39	19 42	22 20	22 52	20 40	10 05	17 24
15	1 54	12 39	20 27	22 24	22 58	20 41	10 07	17 26
16	2 42	13 38	21 12	22 28	23 04	20 42	10 08	17 28
17	3 35	14 38	21 57	22 32	23 11	20 43	10 10	17 30
18	4 31	15 36	22 43	22 35	23 17	20 44	10 12	17 32
19	5 30	16 34	23 28	22 39	23 23	20 45	10 14	17 35
20	6 32	17 32	24 13	22 42	23 29	20 46	10 16	17 37
21	7 37	18 29	24 58	22 45	23 35	20 47	10 18	17 39
22	8 45	19 26	25 43	22 48	23 41	20 48	10 19	17 41
23	9 54	20 22	26 27	22 51	23 47	20 50	10 21	17 43
24	11 06	21 17	27 12	22 53	23 53	20 51	10 23	17 45
25	12 19	22 12	27 57	22 55	23 59	20 52	10 25	17 47
26	13 34	23 06	28 42	22 57	24 05	20 54	10 27	17 49
27	14 50	23 59	29♓27	22 59	24 11	20 55	10 29	17 51
28	16 08	24 52	0♈12	23 01	24 17	20 57	10 31	17 52
29	17 27	25 44	0 57	23 03	24 22	20 58	10 33	17 54
30	18 48	26 36	1 41	23 04	24 28	21 00	10 35	17 56
31	20♑09	27♓26	2♈26	23♎05	24♐34	21♈02	10♓37	17♑58

Lunar Aspects

D	☉	☿	♀	♂	♃	♄	♅	♆	♇
1		∠			△	⚹	⚹		⚺
2	∠	⚹	☌		⚼		∠		∠
3	⚹			●			⚺	☌	⚹
4		□	⚺			□			
5	□		∠	⚺				⚺	□
6		△		∠	☍	△	☌	∠	
7		⚼	⚹	⚹		⚼		⚹	
8	△						⚺		△
9	⚼		□		⚼		∠	□	⚼
10		☍		□	△	☍	⚹		
11			△					△	
12	☍		⚼	△	□		□	⚼	☍
13				⚼		⚼			
14		⚼			⚹	△	△		
15	⚼	△			∠		⚼	☍	⚼
16			☍	☍	⚺	□			△
17	△	□							
18									□
19	□				☌	⚹	☍	⚼	
20		⚹	⚼	⚼		∠		△	
21		∠	△		⚺	⚺			⚹
22	⚹			△			⚼		∠
23		⚺			∠			□	⚺
24	∠		□	□	⚹	☌	△		
25	⚺	☌						⚹	
26			⚹		□	⚺	□		☌
27				⚹				∠	
28	☌	⚺	∠	∠		∠	⚹	⚺	⚺
29		∠	⚺	⚺	△	⚹			∠
30	⚺				⚼		∠	☌	
31	∠	⚹	☌			□	⚺		⚹

D M	Saturn Lat.	Saturn Dec.	Uranus Lat.	Uranus Dec.	Neptune Lat.	Neptune Dec.	Pluto Lat.	Pluto Dec.
	° ′	° ′	° ′	° ′	° ′	° ′	° ′	° ′
1	1N17	21S53	0S36	7N28	0S51	8S42	1N01	21S21
3	1 17	21 54	0 36	7 28	0 51	8 41	1 01	21 21
5	1 17	21 54	0 36	7 29	0 51	8 40	1 01	21 20
7	1 17	21 55	0 36	7 29	0 51	8 39	1 00	21 20
9	1 17	21 56	0 36	7 30	0 51	8 38	1 00	21 20
11	1 17	21 57	0 36	7 30	0 51	8 36	1 00	21 19
13	1 17	21 57	0 36	7 31	0 51	8 35	1 00	21 19
15	1 17	21 58	0 36	7 31	0 51	8 34	1 00	21 19
17	1 17	21 59	0 36	7 32	0 51	8 32	0 59	21 18
19	1 17	21 59	0 36	7 33	0 51	8 31	0 59	21 18
21	1 17	22 00	0 35	7 34	0 51	8 30	0 59	21 18
23	1 17	22 01	0 35	7 35	0 51	8 28	0 59	21 17
25	1 17	22 01	0 35	7 36	0 51	8 27	0 59	21 17
27	1 17	22 01	0 35	7 37	0 51	8 25	0 59	21 17
29	1 17	22 02	0 35	7 38	0 51	8 24	0 58	21 16
31	1N17	22S02	0S35	7N40	0S51	8S22	0N58	21S16

Mutual Aspects

1 ☿Q♃. ♂☌♆. ♂∥♆.
3 ☿⚹♀. 4 ☿Q♂.
5 ♀∠♇. ♂#♅.
6 ♂∥♃.
7 ☉☌♇. ♀Qh. ♂⊥♅.
8 ♀∠♅. ☿Stat.
9 ♀⚼♃. ♂±♃.
10 ☉□♅. ☉∥♄.
11 ♂⚹♇.
12 ☉□♃. ☉⚺♄. ♀☌♆. ♀∥♆.
13 ☉∥♇.
14 ☉∥☿. ☿∥♇. ♀∥♃. ♀#♅.
15 ☉∠♆. ♂⚺♅.
17 ♀⊥♅.
18 ☿Q♃. ♂∇♃.
19 ☉⊥♄. ♀±♃. ♂□♄. ☿∥♄. ♃#♅.
20 ♀⚹♇. 23 ☿⚹♆.
24 ☉⊥♆. ♀⚺♅.
26 ♀∇♃. 27 ♀□♄.
28 ☉Q♅. ♂Q♇.
29 ☉∠♄. ☿☌♇.
30 ☉⚺♆. ♀#♂.
31 ☿Q♂.

LAST QUARTER – Jan.19,22h.13m. (0°♏02′)

NEW MOON–Feb.26,14h.58m. (8° ♓ 12′)

D M	D W	Sidereal Time	☉ Long.	☉ Dec.	☽ Long.	☽ Lat.	☽ Dec.	☽ Node	24h. ☽ Long.	24h. ☽ Dec.
		h m s	° ′ ″	° ′	° ′ ″	° ′	° ′	° ′	° ′ ″	° ′
1	W	20 47 33	12 ♒ 49 11	16 S 58	8 ♈ 07 09	3 S 00	0 N28	4 ♍ 34	15 ♈ 00 55	2 N41
2	Th	20 51 29	13 50 05	16 40	21 57 10	3 57	4 53	4 30	28 55 50	7 02
3	F	20 55 26	14 50 57	16 23	5 ♉ 56 45	4 40	9 05	4 27	12 ♉ 59 46	11 02
4	S	20 59 22	15 51 48	16 05	20 04 41	5 07	12 49	4 24	27 11 17	14 26
5	Su	21 03 19	16 52 38	15 47	4 ♊ 19 16	5 16	15 50	4 21	11 ♊ 28 18	16 59
6	M	21 07 15	17 53 26	15 28	18 37 58	5 05	17 53	4 18	25 47 50	18 30
7	T	21 11 12	18 54 12	15 09	2 ♋ 57 23	4 35	18 49	4 15	10 ♋ 06 05	18 50
8	W	21 15 08	19 54 57	14 50	17 13 22	3 48	18 33	4 11	24 18 40	17 59
9	Th	21 19 05	20 55 41	14 31	1 ♌ 21 26	2 48	17 07	4 08	8 ♌ 21 08	16 01
10	F	21 23 02	21 56 23	14 12	15 17 16	1 38	14 41	4 05	22 09 24	13 09
11	S	21 26 58	22 57 04	13 52	28 57 12	0 S 24	11 27	4 02	5 ♍ 40 22	9 38
12	Su	21 30 55	23 57 43	13 32	12 ♍ 18 46	0 N50	7 42	3 59	18 52 16	5 42
13	M	21 34 51	24 58 21	13 12	25 20 53	1 59	3 N40	3 55	1 ♎ 44 43	1 N37
14	T	21 38 48	25 58 58	12 51	8 ♎ 03 57	3 01	0 S26	3 52	14 18 50	2 S27
15	W	21 42 44	26 59 33	12 31	20 29 43	3 53	4 25	3 49	26 36 58	6 18
16	Th	21 46 41	28 00 07	12 10	2 ♏ 41 04	4 33	8 07	3 46	8 ♏ 42 28	9 51
17	F	21 50 37	29 ♒ 00 41	11 49	14 41 44	5 01	11 27	3 43	20 39 24	12 56
18	S	21 54 34	0 ♓ 01 12	11 28	26 36 03	5 15	14 17	3 40	2 ♐ 32 17	15 29
19	Su	21 58 31	1 01 43	11 06	8 ♐ 28 42	5 16	16 31	3 36	14 25 52	17 22
20	M	22 02 27	2 02 12	10 45	20 24 22	5 03	18 03	3 33	26 24 46	18 31
21	T	22 06 24	3 02 40	10 23	2 ♑ 27 36	4 37	18 47	3 30	8 ♑ 33 22	18 50
22	W	22 10 20	4 03 07	10 01	14 42 30	3 59	18 40	3 27	20 55 25	18 16
23	Th	22 14 17	5 03 32	9 39	27 12 28	3 08	17 39	3 24	3 ♒ 33 54	16 47
24	F	22 18 13	6 03 56	9 17	9 ♒ 59 56	2 06	15 43	3 21	16 30 41	14 25
25	S	22 22 10	7 04 18	8 55	23 06 11	0 N57	12 55	3 17	29 46 24	11 14
26	Su	22 26 06	8 04 38	8 32	6 ♓ 31 10	0 S 17	9 23	3 14	13 ♓ 20 16	7 24
27	M	22 30 03	9 04 57	8 10	20 13 25	1 32	5 17	3 11	27 10 15	3 S 05
28	T	22 34 00	10 ♓ 05 14	7 S 47	4 ♈ 10 19	2 S 42	0 S 50	3 ♍ 08	11 ♈ 13 09	1 N27

D M	Mercury Lat.	Mercury Dec.	Mercury Dec.	Venus Lat.	Venus Dec.	Venus Dec.	Mars Lat.	Mars Dec.	Mars Dec.	Jupiter Lat.	Jupiter Dec.
	° ′	° ′	° ′	° ′	° ′	° ′	° ′	° ′	° ′	° ′	° ′
1	0 S 34	22 S 16	22 S 10	1 N 50	1 N00	1 N27	0 S 22	0 N56	1 N 14	1 N 24	7 S 40
3	0 48	22 02	21 53	2 08	1 54	2 21	0 20	1 33	1 51	1 25	7 40
5	1 02	21 43	21 32	2 26	2 48	3 14	0 18	2 10	2 28	1 25	7 40
7	1 14	21 19	21 05	2 44	3 40	4 05	0 17	2 47	3 05	1 26	7 40
9	1 25	20 50	20 34	3 03	4 31	4 56	0 15	3 23	3 42	1 26	7 39
11	1 35	20 16	19 57	3 22	5 20	5 45	0 13	4 00	4 18	1 27	7 38
13	1 44	19 36	19 14	3 42	6 08	6 32	0 11	4 36	4 54	1 27	7 36
15	1 52	18 51	18 26	4 02	6 54	7 17	0 10	5 12	5 30	1 28	7 35
17	1 58	18 00	17 33	4 23	7 38	8 00	0 08	5 48	6 06	1 28	7 33
19	2 03	17 05	16 35	4 44	8 20	8 40	0 06	6 23	6 41	1 29	7 31
21	2 06	16 03	15 31	5 05	8 59	9 18	0 05	6 59	7 16	1 29	7 28
23	2 08	14 57	14 21	5 26	9 36	9 53	0 03	7 34	7 51	1 30	7 26
25	2 07	13 45	13 07	5 47	10 09	10 24	0 S 01	8 08	8 25	1 30	7 23
27	2 06	12 27	11 47	6 08	10 39	10 52	0 00	8 42	8 59	1 31	7 20
29	2 02	11 05	10 S 21	6 29	11 05	11 N17	0 N 02	9 16	9 N 33	1 31	7 16
31	1 S 56	9 S 37		6 N 49	11 N27		0 N 03	9 N50		1 N 31	7 S 13

FIRST QUARTER–Feb. 4,04h.19m. (15° ♉ 32′)

FULL MOON – Feb.11,00h.33m. (22°♌28′)

D M	☿ Long.	♀ Long.	♂ Long.	♃ Long.	♄ Long.	♅ Long.	♆ Long.	♇ Long.	☉	☿	♀	♂	♃	♄	♅	♆	♇
	° ′	° ′	° ′	° ′	° ′	° ′	° ′	° ′									
1	21♑32	28♓16	3♈11	23♎06	24♐39	21♈03	10♓39	18♑00	⚹			☌				⚺	
2	22 56	29 04	3 56	23 07	24 45	21 05	10 41	18 02		□			☍	△	☌	∠	□
3	24 20	29♓52	4 40	23 08	24 50	21 07	10 43	18 04			⚺	⚺		⚼		⚹	
4	25 46	0♈39	5 25	23 08	24 55	21 09	10 46	18 06	□	△	∠	∠			⚺		△
5	27 13	1 25	6 09	23 08	25 01	21 10	10 48	18 08			⚹	⚹	⚼		∠	□	⚼
6	28♑40	2 10	6 54	23R 08	25 06	21 12	10 50	18 10	△	⚼			△	☍	⚹		
7	0♒09	2 54	7 39	23 08	25 11	21 14	10 52	18 11	⚼		□	□					
8	1 38	3 37	8 23	23 08	25 16	21 16	10 54	18 13					□		□	△	☍
9	3 09	4 19	9 08	23 07	25 21	21 18	10 56	18 15		☍	△					⚼	
10	4 40	5 00	9 52	23 07	25 26	21 20	10 58	18 17			⚼	△		⚼	△		
11	6 12	5 39	10 36	23 06	25 31	21 23	11 01	18 19	☍			⚼	⚹	△			⚼
12	7 44	6 17	11 21	23 05	25 36	21 25	11 03	18 20					∠		⚼	☍	△
13	9 18	6 54	12 05	23 03	25 40	21 27	11 05	18 22		⚼			⚺	□			
14	10 52	7 29	12 49	23 02	25 45	21 29	11 07	18 24	⚼	△	☍	☍					
15	12 28	8 03	13 33	23 00	25 49	21 31	11 09	18 26					☌	⚹	☍	⚼	□
16	14 04	8 36	14 18	22 59	25 54	21 34	11 12	18 27	△								
17	15 41	9 07	15 02	22 57	25 58	21 36	11 14	18 29		□				∠		△	⚹
18	17 19	9 36	15 46	22 54	26 03	21 38	11 16	18 31	□		⚼	⚼	⚺	⚺			
19	18 58	10 04	16 30	22 52	26 07	21 41	11 18	18 32			△		∠		⚼	□	∠
20	20 38	10 30	17 14	22 49	26 11	21 43	11 21	18 34		⚹		△	⚹	☌	△		⚺
21	22 19	10 55	17 58	22 47	26 15	21 46	11 23	18 35	⚹	∠							
22	24 00	11 17	18 42	22 44	26 19	21 48	11 25	18 37	∠		□	□				⚹	☌
23	25 43	11 38	19 26	22 41	26 23	21 51	11 27	18 38		⚺			□	⚺	□	∠	
24	27 27	11 57	20 10	22 37	26 27	21 54	11 30	18 40	⚺		⚹			∠		⚺	
25	29♒11	12 13	20 54	22 34	26 31	21 56	11 32	18 42			∠	⚹	△	⚹	⚹		⚺
26	0♓57	12 28	21 38	22 30	26 35	21 59	11 34	18 43	●	☌	⚺	∠	⚼		∠	☌	∠
27	2 43	12 40	22 22	22 26	26 38	22 02	11 36	18 44				⚺		□	⚺		⚹
28	4♓31	12♈51	23♈05	22♎22	26♐42	22♈04	11♓39	18♑46	⚺	⚺							

D M	Saturn Lat.	Saturn Dec.	Uranus Lat.	Uranus Dec.	Neptune Lat.	Neptune Dec.	Pluto Lat.	Pluto Dec.
	° ′	° ′	° ′	° ′	° ′	° ′	° ′	° ′
1	1N17	22S03	0S35	7N40	0S51	8S21	0N58	21S16
3	1 17	22 03	0 35	7 42	0 51	8 20	0 58	21 15
5	1 17	22 03	0 35	7 43	0 51	8 18	0 58	21 15
7	1 17	22 04	0 35	7 45	0 51	8 17	0 58	21 15
9	1 17	22 04	0 35	7 46	0 51	8 15	0 58	21 14
11	1 17	22 04	0 35	7 48	0 51	8 13	0 57	21 14
13	1 18	22 04	0 35	7 50	0 51	8 12	0 57	21 14
15	1 18	22 05	0 35	7 51	0 51	8 10	0 57	21 14
17	1 18	22 05	0 35	7 53	0 51	8 08	0 57	21 13
19	1 18	22 05	0 35	7 55	0 51	8 06	0 57	21 13
21	1 18	22 05	0 34	7 57	0 51	8 05	0 57	21 13
23	1 18	22 05	0 34	7 59	0 51	8 03	0 56	21 12
25	1 18	22 05	0 34	8 01	0 51	8 01	0 56	21 12
27	1 18	22 05	0 34	8 03	0 51	8 00	0 56	21 12
29	1 18	22 05	0 34	8 05	0 51	7 58	0 56	21 12
31	1N18	22S05	0S34	8N07	0S51	7S56	0N56	21S11

Mutual Aspects

1 ☿□♅. ♀∥♂. ♃⋕♅.
2 ☿□♃.
3 ☉∠♀. ☿⚺♄. ♀Q♇. ☿∥♄.
4 ☿∠♆.
6 ☉⚺♇. ♃Stat.
7 ☿∥♇. 8 ☿⊥♄.
9 ☉⚹♅.
10 ☿⚹♀. ☿⊥♆.
11 ☉△♃.
12 ☉⊥♇. ♂⚺♆.
13 ☿Q♅.
14 ☉⚹♄. ☿∠♄. ☿⚺♆.
16 ☿⚹♂. 17 ♀⋕♃.
18 ♀∥♅. ♀⋕♆.
19 ☿⚺♇. 20 ♂⊥♆.
21 ☉∠♂. ☿△♃. ☿⚹♅.
22 ☉∠♇. ☿⊥♇. ♀⚺♆. ♂□♇.
23 ☿⚹♄. ☉⋕♀. ♂⋕♃.
24 ☉⊥♀. ☿∠♀.
25 ☉⚼♃. ☉∠♅. ♂∥♅. ♂⋕♆. ♅⋕♆.
26 ☉⋕♂.
27 ☉Q♄. ♂☍♃. ♂☌♅. ☉⋕♅. ☉∥♆.
28 ☿∠♇.

LAST QUARTER – Feb.18,19h.33m. (0°♐20′)

NEW MOON–Mar.28,02h.57m. (7°♈37′)

D M	D W	Sidereal Time	⊙ Long.	⊙ Dec.	☽ Long.	☽ Lat.	☽ Dec.	☽ Node	24h. ☽ Long.	24h. ☽ Dec.
		h m s	° ′ ″	° ′	° ′ ″	° ′	° ′	° ′	° ′ ″	° ′
1	W	22 37 56	11 ♓ 05 29	7 S 24	18 ♈ 18 16	3 S 44	3 N 43	3 ♍ 05	25 ♈ 25 07	5 N 57
2	Th	22 41 53	12 05 42	7 01	2 ♉ 33 12	4 32	8 06	3 01	9 ♉ 42 01	10 08
3	F	22 45 49	13 05 53	6 38	16 51 03	5 04	12 01	2 58	23 59 54	13 43
4	S	22 49 46	14 06 02	6 15	1 ♊ 08 07	5 16	15 13	2 55	8 ♊ 15 22	16 29
5	Su	22 53 42	15 06 09	5 52	15 21 20	5 10	17 30	2 52	22 25 43	18 14
6	M	22 57 39	16 06 14	5 29	29 28 18	4 44	18 42	2 49	6 ♋ 28 53	18 52
7	T	23 01 35	17 06 16	5 06	13 ♋ 27 16	4 02	18 44	2 46	20 23 17	18 20
8	W	23 05 32	18 06 17	4 42	27 16 49	3 07	17 39	2 42	4 ♌ 07 43	16 43
9	Th	23 09 29	19 06 15	4 19	10 ♌ 55 51	2 01	15 33	2 39	17 41 05	14 10
10	F	23 13 25	20 06 11	3 55	24 23 17	0 S 50	12 37	2 36	1 ♍ 02 22	10 54
11	S	23 17 22	21 06 05	3 32	7 ♍ 38 12	0 N 23	9 04	2 33	14 10 42	7 08
12	Su	23 21 18	22 05 57	3 08	20 39 47	1 34	5 08	2 30	27 05 26	3 N 06
13	M	23 25 15	23 05 47	2 44	3 ♎ 27 36	2 38	1 N 03	2 27	9 ♎ 46 20	1 S 00
14	T	23 29 11	24 05 35	2 21	16 01 42	3 34	3 S 01	2 23	22 13 48	4 59
15	W	23 33 08	25 05 22	1 57	28 22 49	4 18	6 53	2 20	4 ♏ 28 57	8 41
16	Th	23 37 04	26 05 06	1 33	10 ♏ 32 28	4 50	10 23	2 17	16 33 43	11 58
17	F	23 41 01	27 04 49	1 10	22 33 02	5 09	13 26	2 14	28 30 52	14 44
18	S	23 44 58	28 04 30	0 46	4 ♐ 27 39	5 14	15 53	2 11	10 ♐ 23 54	16 52
19	Su	23 48 54	29 ♓ 04 09	0 S 22	16 20 08	5 06	17 40	2 07	22 16 56	18 17
20	M	23 52 51	0 ♈ 03 47	0 N 02	28 14 53	4 44	18 41	2 04	4 ♑ 14 33	18 53
21	T	23 56 47	1 03 23	0 25	10 ♑ 16 35	4 10	18 53	2 01	16 21 34	18 39
22	W	0 00 44	2 02 57	0 49	22 30 04	3 24	18 12	1 58	28 42 41	17 31
23	Th	0 04 40	3 02 29	1 13	4 ♒ 59 56	2 28	16 37	1 55	11 ♒ 22 16	15 30
24	F	0 08 37	4 02 00	1 36	17 50 07	1 23	14 10	1 52	24 23 47	12 38
25	S	0 12 33	5 01 28	2 00	1 ♓ 03 30	0 N 11	10 55	1 48	7 ♓ 49 20	9 02
26	Su	0 16 30	6 00 55	2 23	14 41 17	1 S 03	7 00	1 45	21 39 09	4 50
27	M	0 20 27	7 00 20	2 47	28 42 36	2 15	2 S 35	1 42	5 ♈ 51 09	0 S 16
28	T	0 24 23	7 59 43	3 10	13 ♈ 04 11	3 20	2 N 05	1 39	20 20 56	4 N 25
29	W	0 28 20	8 59 04	3 34	27 40 32	4 14	6 41	1 36	5 ♉ 02 03	8 53
30	Th	0 32 16	9 58 22	3 57	12 ♉ 24 33	4 51	10 56	1 33	19 47 02	12 49
31	F	0 36 13	10 ♈ 57 39	4 N 20	27 ♉ 08 35	5 S 09	14 N 30	1 ♍ 29	4 ♊ 28 22	15 N 57

D M	Mercury Lat.	Mercury Dec.		Venus Lat.	Venus Dec.		Mars Lat.	Mars Dec.		Jupiter Lat.	Jupiter Dec.
	° ′	° ′	° ′	° ′	° ′	° ′	° ′	° ′	° ′	° ′	° ′
1	2 S 02	11 S 05	10 S 21	6 N 29	11 N 05	11 N 17	0 N 02	9 N 16	9 N 33	1 N 31	7 S 16
3	1 56	9 37	8 51	6 49	11 27	11 36	0 03	9 50	10 06	1 31	7 13
5	1 49	8 04	7 16	7 08	11 44	11 51	0 05	10 23	10 39	1 32	7 09
7	1 39	6 26	5 36	7 26	11 57	12 01	0 06	10 55	11 11	1 32	7 05
9	1 27	4 44	3 51	7 42	12 04	12 05	0 08	11 28	11 43	1 32	7 01
11	1 12	2 58	2 04	7 57	12 05	12 04	0 09	11 59	12 15	1 33	6 56
13	0 56	1 S 09	0 S 13	8 09	12 01	11 56	0 11	12 31	12 46	1 33	6 51
15	0 37	0 N 43	1 N 39	8 19	11 50	11 42	0 12	13 01	13 16	1 33	6 47
17	0 S 16	2 35	3 31	8 26	11 33	11 23	0 14	13 32	13 46	1 34	6 42
19	0 N 07	4 27	5 22	8 29	11 11	10 58	0 15	14 01	14 16	1 34	6 36
21	0 31	6 16	7 09	8 29	10 43	10 27	0 16	14 31	14 45	1 34	6 31
23	0 55	8 01	8 52	8 25	10 10	9 52	0 18	14 59	15 13	1 34	6 26
25	1 20	9 40	10 26	8 17	9 33	9 13	0 19	15 27	15 41	1 34	6 20
27	1 44	11 10	11 52	8 06	8 53	8 32	0 20	15 55	16 08	1 35	6 15
29	2 06	12 31	13 N 07	7 51	8 10	7 N 49	0 21	16 22	16 N 35	1 35	6 09
31	2 N 26	13 N 40		7 N 33	7 N 27		0 N 23	16 N 48		1 N 35	6 S 03

FIRST QUARTER–Mar. 5,11h.32m. (15°♊05′)

FULL MOON – Mar.12,14h.54m. (22°♍13′)

D	☿	♀	♂	♃	♄	♅	♆	♇	Lunar Aspects								
M	Long.	Long.	Long.	Long.	Long.	Long.	Long.	Long.	☉	☿	♀	♂	♃	♄	♅	♆	♇
	° ′	° ′	° ′	° ′	° ′	° ′	° ′	° ′									
1	6♓20	12♈59	23♈49	22♎18	26♐45	22♈07	11♓41	18♑47		∠	☌	☌	☍		☌	⚺	□
2	8 09	13 05	24 33	22R 14	26 49	22 10	11 43	18 49	∠	⚹				△		∠	
3	10 00	13 08	25 16	22 09	26 52	22 13	11 46	18 50	⚹		⚺			⚼	⚺	⚹	△
4	11 52	13R 09	26 00	22 05	26 55	22 15	11 48	18 51			∠	⚺	⚼		∠		⚼
5	13 44	13 07	26 44	22 00	26 58	22 18	11 50	18 53	□	□	⚹	∠	△		⚹	□	
6	15 38	13 03	27 27	21 55	27 01	22 21	11 52	18 54				⚹		☍			
7	17 33	12 57	28 10	21 50	27 04	22 24	11 55	18 55	△	△	□					△	☍
8	19 28	12 48	28 54	21 45	27 07	22 27	11 57	18 57	⚼			□	□		□	⚼	
9	21 24	12 36	29♈37	21 39	27 10	22 30	11 59	18 58		⚼	△			⚼			
10	23 21	12 22	0♉21	21 34	27 12	22 33	12 02	18 59			⚼	△	⚹	△	△		
11	25 19	12 05	1 04	21 28	27 15	22 36	12 04	19 00					∠		⚼	☍	⚼
12	27 17	11 46	1 47	21 22	27 17	22 39	12 06	19 01	☍			⚼	⚺				△
13	29♓15	11 25	2 30	21 16	27 20	22 42	12 08	19 02		☍				□			
14	1♈13	11 01	3 14	21 10	27 22	22 45	12 11	19 04			☍		☌				□
15	3 12	10 36	3 57	21 04	27 24	22 49	12 13	19 05				☍		⚹	☍	⚼	
16	5 10	10 08	4 40	20 58	27 26	22 52	12 15	19 06	⚼					∠		△	
17	7 07	9 38	5 23	20 51	27 28	22 55	12 17	19 07	△	⚼	⚼		⚺	⚺			⚹
18	9 04	9 06	6 06	20 45	27 30	22 58	12 19	19 08		△	△		∠		⚼		∠
19	10 59	8 33	6 49	20 38	27 32	23 01	12 22	19 09				⚼	⚹			□	⚺
20	12 52	7 59	7 32	20 31	27 34	23 04	12 24	19 10	□					☌	△		
21	14 43	7 23	8 15	20 25	27 35	23 08	12 26	19 10		□	□	△				⚹	
22	16 32	6 47	8 57	20 18	27 37	23 11	12 28	19 11					□	⚺	□	∠	☌
23	18 18	6 10	9 40	20 11	27 38	23 14	12 30	19 12	⚹		⚹	□					
24	20 00	5 32	10 23	20 03	27 40	23 17	12 33	19 13	∠	⚹	∠		△	∠	⚹	⚺	⚺
25	21 39	4 55	11 06	19 56	27 41	23 21	12 35	19 14	⚺	∠	⚺		⚼	⚹			∠
26	23 13	4 17	11 48	19 49	27 42	23 24	12 37	19 15				⚹			∠	☌	⚹
27	24 42	3 40	12 31	19 42	27 43	23 27	12 39	19 15		⚺	☌	∠		□	⚺		
28	26 06	3 03	13 14	19 34	27 44	23 31	12 41	19 16	☌			⚺	☍			⚺	□
29	27 25	2 27	13 56	19 27	27 45	23 34	12 43	19 17		☌	⚺			△	☌	∠	
30	28 38	1 52	14 39	19 19	27 45	23 37	12 45	19 17	⚺		∠	☌		⚼		⚹	△
31	29♈45	1♈18	15♉21	19♎12	27♐46	23♈41	12♓47	19♑18	∠	⚺	⚹		⚼		⚺		⚼

D	Saturn		Uranus		Neptune		Pluto	
M	Lat.	Dec.	Lat.	Dec.	Lat.	Dec.	Lat.	Dec.
	° ′	° ′	° ′	° ′	° ′	° ′	° ′	° ′
1	1N18	22S05	0S34	8N05	0S51	7S58	0N56	21S12
3	1 18	22 05	0 34	8 07	0 51	7 56	0 56	21 11
5	1 19	22 05	0 34	8 09	0 51	7 54	0 56	21 11
7	1 19	22 05	0 34	8 11	0 51	7 53	0 56	21 11
9	1 19	22 05	0 34	8 14	0 51	7 51	0 55	21 11
11	1 19	22 05	0 34	8 16	0 51	7 49	0 55	21 11
13	1 19	22 05	0 34	8 18	0 51	7 48	0 55	21 10
15	1 19	22 05	0 34	8 21	0 51	7 46	0 55	21 10
17	1 19	22 05	0 34	8 23	0 51	7 44	0 55	21 10
19	1 20	22 05	0 34	8 25	0 51	7 43	0 55	21 10
21	1 20	22 05	0 34	8 28	0 51	7 41	0 55	21 10
23	1 20	22 05	0 34	8 30	0 51	7 39	0 54	21 10
25	1 20	22 05	0 34	8 33	0 51	7 38	0 54	21 10
27	1 20	22 05	0 34	8 35	0 51	7 36	0 54	21 10
29	1 20	22 05	0 34	8 38	0 51	7 35	0 54	21 09
31	1N20	22S05	0S34	8N40	0S51	7S33	0N54	21S09

Mutual Aspects

1 ☿⊥♀. ☿∠♅. ☉∥♃. ☿#♀.
2 ☉☌♆. ☿⚼♃. ☿Q♄.
3 ☉⚺♀. ☿∠♂. ♃☍♅. ☿#♂.
4 ☿☌♆. ♀Stat.
5 ☿⚺♀. ♂△♄. ♂∠♆. ☿#♅. ☿∥♆.
6 ☉±♃. ☉⊥♅. ☿±♃. ☿⊥♅. ☿∥♃.
7 ☉☌☿. 8 ☿⚹♇.
9 ☉⚹♇. ☿∇♃.
10 ☿⚺♅. ☉∥☿.
11 ☉∇♃. ☿⊥♂. ♀⚺♆. ♀∥♂.
12 ☿□♄. 13 ☉⚺♅.
14 ☿Q♇.
16 ☿⚺♂. ☉#☿.
17 ☉□♄. 18 ☿☌♀.
20 ☿⚺♆. ♀⚺♂.
21 ☉Q♇. ☿#♃.
23 ☿⊥♆. ☿#♆.
24 ☿☍♃. ☿□♇. ☿∥♅.
25 ☉☌♀. ☉⊥♂. ♀⊥♂. ☿∥♀.
26 ☿☌♅.
27 ♂⚼♄. ♂⚹♆.
28 ♀∥♅.
29 ☿△♄. ☿∠♆.
30 ♃□♇.
31 ♀Q♇. ♀#♆.

LAST QUARTER – Mar.20,15h.58m. (0°♑14′)

NEW MOON–Apr.26,12h.16m. (6°♉27′)

D M	D W	Sidereal Time	☉ Long.	☉ Dec.	☽ Long.	☽ Lat.	☽ Dec.	☽ Node	24h. ☽ Long.	24h. ☽ Dec.
		h m s	° ′ ″	° ′	° ′ ″	° ′	° ′	° ′	° ′ ″	° ′
1	S	0 40 09	11 ♈ 56 53	4 N43	11 ♊ 45 39	5 S06	17 N08	1 ♍ 26	18 ♊ 59 47	18 N02
2	Su	0 44 06	12 56 05	5 06	26 10 19	4 45	18 38	1 23	3 ♋ 16 52	18 57
3	M	0 48 02	13 55 15	5 29	10 ♋ 19 13	4 06	18 57	1 20	17 17 15	18 40
4	T	0 51 59	14 54 22	5 52	24 10 58	3 13	18 06	1 17	1 ♌ 00 26	17 17
5	W	0 55 56	15 53 27	6 15	7 ♌ 45 46	2 11	16 13	1 13	14 27 08	14 57
6	Th	0 59 52	16 52 29	6 38	21 04 44	1 S02	13 29	1 10	27 38 46	11 52
7	F	1 03 49	17 51 30	7 00	4 ♍ 09 26	0 N08	10 07	1 07	10 ♍ 36 56	8 15
8	S	1 07 45	18 50 28	7 23	17 01 27	1 17	6 18	1 04	23 23 06	4 18
9	Su	1 11 42	19 49 23	7 45	29 42 03	2 21	2 N16	1 01	5 ♎ 58 25	0 N14
10	M	1 15 38	20 48 17	8 07	12 ♎ 12 17	3 17	1 S48	0 58	18 23 45	3 S48
11	T	1 19 35	21 47 09	8 29	24 32 55	4 02	5 45	0 54	0 ♏ 39 53	7 37
12	W	1 23 31	22 45 58	8 51	6 ♏ 44 45	4 36	9 25	0 51	12 47 39	11 05
13	Th	1 27 28	23 44 46	9 13	18 48 44	4 58	12 38	0 48	24 48 13	14 03
14	F	1 31 25	24 43 32	9 35	0 ♐ 46 20	5 06	15 19	0 45	6 ♐ 43 20	16 25
15	S	1 35 21	25 42 16	9 56	12 39 34	5 00	17 21	0 42	18 35 23	18 05
16	Su	1 39 18	26 40 59	10 17	24 31 12	4 42	18 38	0 38	0 ♑ 27 30	18 58
17	M	1 43 14	27 39 39	10 38	6 ♑ 24 46	4 11	19 06	0 35	12 23 34	19 01
18	T	1 47 11	28 38 18	10 59	18 24 28	3 30	18 43	0 32	24 28 04	18 11
19	W	1 51 07	29 ♈ 36 56	11 20	0 ♒ 35 00	2 38	17 27	0 29	6 ♒ 45 53	16 30
20	Th	1 55 04	0 ♉ 35 31	11 41	13 01 22	1 37	15 21	0 26	19 22 03	13 59
21	F	1 59 00	1 34 05	12 01	25 48 28	0 N31	12 26	0 23	2 ♓ 21 09	10 42
22	S	2 02 57	2 32 37	12 21	9 ♓ 00 30	0 S40	8 48	0 19	15 46 50	6 46
23	Su	2 06 54	3 31 08	12 41	22 40 17	1 50	4 S36	0 16	29 40 53	2 S20
24	M	2 10 50	4 29 37	13 01	6 ♈ 48 26	2 56	0 00	0 13	14 ♈ 02 32	2 N22
25	T	2 14 47	5 28 04	13 21	21 22 34	3 53	4 N44	0 10	28 47 45	7 03
26	W	2 18 43	6 26 29	13 40	6 ♉ 17 03	4 35	9 17	0 07	13 ♉ 49 19	11 23
27	Th	2 22 40	7 24 53	13 59	21 23 16	4 58	13 18	0 04	28 57 37	15 00
28	F	2 26 36	8 23 15	14 18	6 ♊ 31 01	5 01	16 27	0 ♍ 00	14 ♊ 02 15	17 36
29	S	2 30 33	9 21 35	14 37	21 30 12	4 43	18 27	29 ♌ 57	28 53 54	18 59
30	Su	2 34 29	10 ♉ 19 53	14 N55	6 ♋ 12 37	4 S07	19 N11	29 ♌ 54	13 ♋ 25 45	19 N04

D M	Mercury Lat.	Mercury Dec.		Venus Lat.	Venus Dec.		Mars Lat.	Mars Dec.		Jupiter Lat.	Jupiter Dec.
	° ′	° ′	° ′	° ′	° ′	° ′	° ′	° ′	° ′	° ′	° ′
1	2 N35	14 N10	14 N 37	7 N 23	7 N05	6 N43	0 N 23	17 N01	17 N 14	1 N 35	6 S 00
3	2 51	15 00	15 20	7 01	6 21	5 59	0 25	17 26	17 39	1 35	5 54
5	3 02	15 36	15 49	6 37	5 38	5 18	0 26	17 51	18 03	1 35	5 49
7	3 09	15 59	16 05	6 12	4 58	4 39	0 27	18 15	18 27	1 35	5 43
9	3 10	16 07	16 05	5 46	4 21	4 03	0 28	18 38	18 50	1 35	5 37
11	3 06	16 00	15 52	5 19	3 46	3 30	0 29	19 01	19 12	1 35	5 31
13	2 55	15 40	15 25	4 51	3 16	3 02	0 30	19 23	19 33	1 35	5 25
15	2 39	15 07	14 46	4 24	2 49	2 37	0 32	19 44	19 54	1 35	5 20
17	2 17	14 22	13 57	3 57	2 26	2 16	0 33	20 04	20 14	1 35	5 14
19	1 50	13 29	13 00	3 31	2 08	2 00	0 34	20 24	20 34	1 34	5 09
21	1 19	12 31	12 01	3 06	1 53	1 48	0 35	20 43	20 53	1 34	5 03
23	0 46	11 30	11 00	2 41	1 43	1 39	0 36	21 02	21 10	1 34	4 58
25	0 N12	10 31	10 03	2 17	1 37	1 35	0 37	21 19	21 28	1 34	4 53
27	0 S22	9 37	9 12	1 54	1 34	1 34	0 38	21 36	21 44	1 33	4 48
29	0 54	8 49	8 N 29	1 32	1 35	1 N37	0 39	21 52	21 N 59	1 33	4 43
31	1 S24	8 N11		1 N 11	1 N39		0 N 40	22 N07		1 N 33	4 S 38

FIRST QUARTER–Apr. 3,18h.39m. (14°♋12′)

FULL MOON–Apr.11,06h.08m. (21°♎33′)

D M	☿ Long.	♀ Long.	♂ Long.	♃ Long.	♄ Long.	♅ Long.	♆ Long.	♇ Long.
	° ′	° ′	° ′	° ′	° ′	° ′	° ′	° ′
1	0♉46	0♈46	16♉03	19♎04	27♐47	23♈44	12♓49	19♑18
2	1 41	0♈15	16 46	18R 57	27 47	23 48	12 51	19 19
3	2 28	29♓46	17 28	18 49	27 47	23 51	12 53	19 20
4	3 09	29R 19	18 10	18 41	27 48	23 54	12 55	19 20
5	3 43	28 54	18 53	18 34	27 48	23 58	12 57	19 21
6	4 10	28 32	19 35	18 26	27R 48	24 01	12 59	19 21
7	4 30	28 11	20 17	18 18	27 48	24 05	13 01	19 21
8	4 44	27 53	20 59	18 11	27 47	24 08	13 03	19 22
9	4 50	27 37	21 41	18 03	27 47	24 11	13 05	19 22
10	4R 50	27 24	22 23	17 55	27 47	24 15	13 07	19 22
11	4 43	27 13	23 05	17 48	27 46	24 18	13 09	19 23
12	4 31	27 05	23 47	17 40	27 46	24 22	13 11	19 23
13	4 12	26 59	24 29	17 32	27 45	24 25	13 13	19 23
14	3 48	26 56	25 11	17 25	27 44	24 29	13 15	19 23
15	3 20	26D 55	25 53	17 17	27 43	24 32	13 16	19 24
16	2 47	26 56	26 34	17 09	27 43	24 35	13 18	19 24
17	2 11	27 00	27 16	17 02	27 41	24 39	13 20	19 24
18	1 33	27 06	27 58	16 55	27 40	24 42	13 22	19 24
19	0 52	27 14	28 39	16 47	27 39	24 46	13 23	19 24
20	0♉10	27 24	29♉21	16 40	27 38	24 49	13 25	19 24
21	29♈28	27 37	0♊03	16 33	27 36	24 53	13 27	19R 24
22	28 46	27 51	0 44	16 25	27 35	24 56	13 28	19 24
23	28 05	28 08	1 26	16 18	27 33	24 59	13 30	19 24
24	27 26	28 27	2 07	16 11	27 31	25 03	13 32	19 24
25	26 49	28 47	2 48	16 04	27 30	25 06	13 33	19 24
26	26 16	29 09	3 30	15 57	27 28	25 10	13 35	19 23
27	25 46	29 33	4 11	15 51	27 26	25 13	13 36	19 23
28	25 20	29♓59	4 52	15 44	27 24	25 16	13 38	19 23
29	24 58	0♈26	5 34	15 37	27 22	25 20	13 39	19 23
30	24♈40	0♈55	6♊15	15♎31	27♐19	25♈23	13♓41	19♑22

Lunar Aspects

D	☉	☿	♀	♂	♃	♄	♅	♆	♇
1	⚹	∠		⚺			∠	□	
2		⚹	□	∠	△	☍	⚹		
3	□							△	
4			△	⚹	□		□	⚼	☍
5		□	⚼			⚼			
6	△			□	⚹		△		
7	⚼	△			∠	△	⚼		⚼
8		⚼		△	⚺			☍	△
9			☍			□			
10				⚼	☌				
11	☍					⚹	☍	⚼	□
12		☍	⚼			∠			
13					⚺			△	⚹
14			△	☍	∠	⚺			∠
15	⚼	⚼			⚹		⚼	□	
16	△		□			☌	△		⚺
17		△							
18				⚼	□			⚹	☌
19	□	□	⚹	△		⚺	□	∠	
20			∠		△	∠		⚺	
21	⚹	⚹	⚺	□	⚼	⚹	⚹		⚺
22		∠					∠	☌	∠
23	∠	⚺	☌			□	⚺		⚹
24	⚺			⚹				⚺	
25		☌		∠	☍	△	☌	∠	□
26	☌		⚺	⚺		⚼		⚹	
27		⚺	∠				⚺		△
28	⚺	∠	⚹	☌	⚼		∠	□	⚼
29	∠	⚹			△	☍	⚹		
30	⚹		□	⚺					

D M	Saturn Lat.	Saturn Dec.	Uranus Lat.	Uranus Dec.	Neptune Lat.	Neptune Dec.	Pluto Lat.	Pluto Dec.
	° ′	° ′	° ′	° ′	° ′	° ′	° ′	° ′
1	1N20	22S05	0S34	8N41	0S51	7S32	0N54	21S09
3	1 21	22 04	0 34	8 44	0 52	7 31	0 54	21 09
5	1 21	22 04	0 34	8 46	0 52	7 29	0 54	21 09
7	1 21	22 04	0 34	8 49	0 52	7 28	0 53	21 09
9	1 21	22 04	0 34	8 51	0 52	7 26	0 53	21 09
11	1 21	22 04	0 34	8 54	0 52	7 25	0 53	21 09
13	1 21	22 04	0 34	8 57	0 52	7 24	0 53	21 10
15	1 21	22 04	0 34	8 59	0 52	7 22	0 53	21 10
17	1 21	22 04	0 34	9 02	0 52	7 21	0 53	21 10
19	1 21	22 03	0 34	9 04	0 52	7 20	0 53	21 10
21	1 22	22 03	0 34	9 07	0 52	7 18	0 52	21 10
23	1 22	22 03	0 34	9 09	0 52	7 17	0 52	21 10
25	1 22	22 03	0 34	9 12	0 52	7 16	0 52	21 10
27	1 22	22 03	0 34	9 14	0 52	7 15	0 52	21 10
29	1 22	22 03	0 34	9 17	0 52	7 14	0 52	21 11
31	1N22	22S02	0S34	9N19	0S52	7S13	0N52	21S11

Mutual Aspects

1 ☿⚺♀. ♀∠♂.
2 ☉⚺♆. 3 ♃±♆.
4 ☉∥♀. ☉#♃. ♀#♃.
5 ♂∇♃.
6 ☿⊥♀. ♂△♇. ♄Stat.
7 ☉☍♃.
8 ☉⊥♆. ♀□♄. ☉#♆.
9 ☉□♇. ♂±♄. ☿Stat.
12 ♂±♃. ☉∥♅.
13 ♂⚺♅.
14 ☉☌♅. ♂Q♆.
15 ♀Stat.
16 ☉⚺♀. ☉⚺♂. ☿⊥♀.
17 ☉△♄. ♀⚹♂.
18 ☉∠♆. ♂∇♄.
20 ☉☌☿. ♇Stat.
21 ☿⚺♂. ♀□♄.
22 ☿∠♆. ♂⊥♅. ☉∥☿.
23 ☿⚺♀. ♂⚼♃.
24 ☉⊥♀. ☿△♄. ♂#♇.
25 ☿⊥♂. 27 ♂⚼♇.
28 ☿☌♅. ☿∥♅.
30 ♂#♄.

LAST QUARTER–Apr.19,09h.57m. (29°♑32′)

NEW MOON–May 25,19h.44m. (4° ♊ 47′)

D M	D W	Sidereal Time	☉ Long.	☉ Dec.	☽ Long.	☽ Lat.	☽ Dec.	☽ Node	24h. ☽ Long.	24h. ☽ Dec.
		h m s	° ′ ″	° ′	° ′ ″	° ′	° ′	° ′	° ′ ″	° ′
1	M	2 38 26	11 ♉ 18 09	15 N13	20 ♋ 32 59	3 S 15	18 N39	29 ♌ 51	27 ♋ 34 08	17 N56
2	T	2 42 23	12 16 22	15 31	4 ♌ 29 10	2 13	16 58	29 48	11 ♌ 18 15	15 47
3	W	2 46 19	13 14 34	15 49	18 01 37	1 S 06	14 23	29 44	24 39 34	12 49
4	Th	2 50 16	14 12 44	16 06	1 ♍ 12 30	0 N04	11 06	29 41	7 ♍ 40 49	9 16
5	F	2 54 12	15 10 51	16 23	14 04 57	1 11	7 22	29 38	20 25 17	5 23
6	S	2 58 09	16 08 57	16 40	26 42 15	2 14	3 N22	29 35	2 ♎ 56 12	1 N19
7	Su	3 02 05	17 07 01	16 57	9 ♎ 07 29	3 09	0 S43	29 32	15 16 24	2 S44
8	M	3 06 02	18 05 03	17 13	21 23 13	3 55	4 43	29 29	27 28 10	6 38
9	T	3 09 58	19 03 03	17 29	3 ♏ 31 28	4 29	8 28	29 25	9 ♏ 33 15	10 13
10	W	3 13 55	20 01 02	17 45	15 33 44	4 51	11 51	29 22	21 33 01	13 22
11	Th	3 17 52	20 58 59	18 00	27 31 17	5 00	14 44	29 19	3 ♐ 28 40	15 57
12	F	3 21 48	21 56 54	18 15	9 ♐ 25 20	4 55	16 59	29 16	15 21 30	17 51
13	S	3 25 45	22 54 48	18 30	21 17 22	4 38	18 31	29 13	27 13 11	18 59
14	Su	3 29 41	23 52 41	18 44	3 ♑ 09 16	4 09	19 15	29 10	9 ♑ 05 58	19 18
15	M	3 33 38	24 50 32	18 58	15 03 39	3 29	19 07	29 06	21 02 45	18 44
16	T	3 37 34	25 48 22	19 12	27 03 46	2 39	18 08	29 03	3 ♒ 07 13	17 20
17	W	3 41 31	26 46 11	19 26	9 ♒ 13 39	1 41	16 19	29 00	15 23 39	15 06
18	Th	3 45 27	27 43 59	19 39	21 37 50	0 N38	13 42	28 57	27 56 48	12 07
19	F	3 49 24	28 41 45	19 52	4 ♓ 21 10	0 S 30	10 22	28 54	10 ♓ 51 30	8 28
20	S	3 53 21	29 ♉ 39 31	20 04	17 28 18	1 37	6 27	28 50	24 12 01	4 S18
21	Su	3 57 17	0 ♊ 37 15	20 17	1 ♈ 02 57	2 42	2 S03	28 47	8 ♈ 01 19	0 N15
22	M	4 01 14	1 34 58	20 28	15 07 05	3 39	2 N35	28 44	22 20 05	4 56
23	T	4 05 10	2 32 40	20 40	29 39 52	4 24	7 14	28 41	7 ♉ 05 46	9 28
24	W	4 09 07	3 30 22	20 51	14 ♉ 36 55	4 52	11 34	28 38	22 12 11	13 30
25	Th	4 13 03	4 28 02	21 02	29 50 17	5 00	15 13	28 35	7 ♊ 29 48	16 41
26	F	4 17 00	5 25 41	21 12	15 ♊ 09 17	4 47	17 51	28 31	22 47 17	18 42
27	S	4 20 56	6 23 18	21 22	0 ♋ 22 25	4 14	19 12	28 28	7 ♋ 53 27	19 22
28	Su	4 24 53	7 20 55	21 32	15 19 23	3 24	19 11	28 25	22 39 23	18 41
29	M	4 28 50	8 18 30	21 41	29 52 51	2 21	17 52	28 22	6 ♌ 59 27	16 48
30	T	4 32 46	9 16 03	21 50	13 ♌ 59 02	1 S 11	15 29	28 19	20 51 37	13 59
31	W	4 36 43	10 ♊ 13 35	21 N59	27 ♌ 37 25	0 00	12 N18	28 ♌ 16	4 ♍ 16 44	10 N29

D M	Mercury Lat.	Mercury Dec.		Venus Lat.	Venus Dec.		Mars Lat.	Mars Dec.		Jupiter Lat.	Jupiter Dec.
	° ′	° ′	° ′	° ′	° ′	° ′	° ′	° ′	° ′	° ′	° ′
1	1 S 24	8 N11	7 N 55	1 N 11	1 N39	1 N43	0 N 40	22 N07	22 N 14	1 N 33	4 S 38
3	1 51	7 41	7 31	0 52	1 47	1 52	0 41	22 21	22 28	1 33	4 34
5	2 14	7 22	7 17	0 33	1 57	2 04	0 42	22 35	22 41	1 32	4 29
7	2 34	7 14	7 13	0 N 15	2 11	2 18	0 42	22 48	22 54	1 32	4 25
9	2 50	7 15	7 19	0 S 02	2 27	2 36	0 43	23 00	23 05	1 31	4 22
11	3 03	7 25	7 33	0 17	2 45	2 56	0 44	23 11	23 16	1 31	4 18
13	3 12	7 44	7 56	0 32	3 06	3 18	0 45	23 21	23 26	1 31	4 15
15	3 18	8 11	8 27	0 46	3 29	3 42	0 46	23 31	23 35	1 30	4 12
17	3 21	8 45	9 04	0 59	3 54	4 07	0 47	23 39	23 43	1 30	4 09
19	3 21	9 25	9 48	1 11	4 21	4 35	0 48	23 47	23 51	1 29	4 06
21	3 18	10 12	10 37	1 22	4 49	5 04	0 48	23 54	23 57	1 29	4 04
23	3 12	11 03	11 31	1 33	5 19	5 35	0 49	24 00	24 03	1 28	4 02
25	3 04	11 59	12 29	1 42	5 50	6 07	0 50	24 05	24 08	1 28	4 00
27	2 53	12 59	13 30	1 51	6 23	6 39	0 51	24 10	24 12	1 27	3 58
29	2 41	14 02	14 N 35	1 59	6 56	7 N13	0 51	24 14	24 N 15	1 27	3 57
31	2 S 26	15 N08		2 S 06	7 N30		0 N 52	24 N16		1 N 26	3 S 56

FIRST QUARTER–May 3,02h.47m. (12° ♌ 52′)

FULL MOON–May 10,21h.42m. (20°♏24′)

D M	☿ Long.	♀ Long.	♂ Long.	♃ Long.	♄ Long.	♅ Long.	♆ Long.	♇ Long.
	° ′	° ′	° ′	° ′	° ′	° ′	° ′	° ′
1	24♈27	1♈25	6♊56	15♎24	27♐17	25♈26	13♓42	19♑22
2	24R 19	1 56	7 37	15R 18	27R 15	25 30	13 44	19R 22
3	24 16	2 29	8 18	15 12	27 12	25 33	13 45	19 21
4	24D 17	3 04	8 59	15 06	27 10	25 36	13 46	19 21
5	24 24	3 39	9 40	15 00	27 07	25 40	13 48	19 21
6	24 35	4 16	10 21	14 54	27 04	25 43	13 49	19 20
7	24 50	4 54	11 02	14 49	27 01	25 46	13 50	19 20
8	25 10	5 33	11 43	14 43	26 59	25 49	13 51	19 19
9	25 35	6 14	12 24	14 38	26 56	25 53	13 53	19 19
10	26 03	6 55	13 05	14 33	26 53	25 56	13 54	19 18
11	26 36	7 37	13 45	14 28	26 49	25 59	13 55	19 18
12	27 13	8 21	14 26	14 23	26 46	26 02	13 56	19 17
13	27 54	9 05	15 07	14 18	26 43	26 05	13 57	19 16
14	28 38	9 50	15 47	14 13	26 40	26 09	13 58	19 16
15	29♈26	10 36	16 28	14 09	26 36	26 12	13 59	19 15
16	0♉17	11 23	17 09	14 05	26 33	26 15	14 00	19 14
17	1 12	12 10	17 49	14 01	26 30	26 18	14 01	19 13
18	2 10	12 59	18 30	13 57	26 26	26 21	14 02	19 13
19	3 11	13 48	19 10	13 53	26 22	26 24	14 03	19 12
20	4 15	14 38	19 50	13 49	26 19	26 27	14 04	19 11
21	5 22	15 28	20 31	13 46	26 15	26 30	14 05	19 10
22	6 32	16 20	21 11	13 42	26 11	26 33	14 06	19 09
23	7 44	17 11	21 52	13 39	26 07	26 36	14 07	19 09
24	9 00	18 04	22 32	13 36	26 04	26 39	14 07	19 08
25	10 18	18 57	23 12	13 33	26 00	26 42	14 08	19 07
26	11 39	19 50	23 52	13 31	25 56	26 45	14 09	19 06
27	13 02	20 44	24 33	13 28	25 52	26 47	14 09	19 05
28	14 28	21 39	25 13	13 26	25 48	26 50	14 10	19 04
29	15 56	22 34	25 53	13 24	25 43	26 53	14 11	19 03
30	17 27	23 30	26 33	13 22	25 39	26 56	14 11	19 02
31	19♉01	24♈26	27♊13	13♎20	25♐35	26♈58	14♓12	19♑01

Lunar Aspects

D	☉	☿	♀	♂	♃	♄	♅	♆	♇
1		□		∠	□		□	△	☍
2			△	✱				⚼	
3	□	△	⚼		✱	⚼			
4					∠	△	△		⚼
5	△	⚼		□	⊻		⚼	☍	△
6	⚼					□			
7			☍	△	☌				
8		☍		⚼		✱	☍		□
9								⚼	
10	☍				⊻	∠		△	✱
11			⚼		∠	⊻			
12		⚼	△	☍	✱		⚼	□	∠
13						☌	△		⊻
14		△							
15	⚼		□		□			✱	☌
16	△	□		⚼		⊻	□	∠	
17			✱		△	∠		⊻	
18				△		✱	✱		⊻
19	□	✱	∠		⚼				∠
20		∠	⊻	□			∠	☌	✱
21	✱	⊻				□	⊻		
22	∠		☌	✱	☍			⊻	□
23	⊻					△	☌	∠	
24		☌	⊻	∠		⚼		✱	△
25	☌		∠	⊻	⚼		⊻		⚼
26		⊻	✱		△		∠	□	
27	⊻	∠		☌		☍	✱		
28		✱	□		□			△	☍
29	∠			⊻			□	⚼	
30	✱	□		∠	✱	⚼			
31			△	✱	∠	△	△		⚼

D M	Saturn Lat.	Saturn Dec.	Uranus Lat.	Uranus Dec.	Neptune Lat.	Neptune Dec.	Pluto Lat.	Pluto Dec.
	° ′	° ′	° ′	° ′	° ′	° ′	° ′	° ′
1	1N22	22S02	0S34	9N19	0S52	7S13	0N52	21S11
3	1 22	22 02	0 34	9 21	0 52	7 12	0 52	21 11
5	1 22	22 02	0 34	9 24	0 52	7 11	0 52	21 11
7	1 22	22 02	0 34	9 26	0 53	7 10	0 51	21 12
9	1 22	22 02	0 34	9 28	0 53	7 09	0 51	21 12
11	1 22	22 02	0 34	9 31	0 53	7 08	0 51	21 12
13	1 22	22 01	0 34	9 33	0 53	7 07	0 51	21 13
15	1 22	22 01	0 34	9 35	0 53	7 07	0 51	21 13
17	1 22	22 01	0 34	9 38	0 53	7 06	0 51	21 13
19	1 22	22 01	0 34	9 40	0 53	7 05	0 50	21 14
21	1 22	22 01	0 34	9 42	0 53	7 05	0 50	21 14
23	1 22	22 01	0 34	9 44	0 53	7 04	0 50	21 14
25	1 22	22 00	0 34	9 46	0 53	7 04	0 50	21 15
27	1 22	22 00	0 34	9 48	0 53	7 03	0 50	21 15
29	1 22	22 00	0 34	9 50	0 53	7 03	0 50	21 16
31	1N22	22S00	0S34	9N52	0S53	7S02	0N50	21S16

Mutual Aspects

1 ♀Q♇. 2 ☉⚼♄.
3 ♃Q♄. ☿Stat.
4 ☉✱♆.
5 ☉∇♃. ☿∠♂.
7 ♂∠♅. 9 ☉△♇.
10 ☿☌♅. ♂±♇.
11 ☉±♃. ☉±♄. ☿△♄. ♂□♆.
12 ♂△♃. 14 ☿∠♆.
16 ☉⊻♅. ☉Q♆.
17 ☉∇♄. ♃∇♆.
18 ♀#♃.
19 ☉⚼♃. ♀☍♃. ♀⊻♆. ♂∇♇. ♄△♅.
20 ☉∠♀. ☿∥♅.
21 ☿∠♂. 23 ☉⊥♅.
25 ☉⚼♇. ☿⚼♄. ♀□♇.
26 ♀⊥♆. ☉#♇.
27 ☿∇♃. 28 ☿✱♆.
29 ♂☍♄. ♀#♆.
31 ☿±♃. ☿±♄. ☿△♇. ♂✱♅. ☉#♄.

LAST QUARTER–May 19,00h.33m. (28°♒14′)

NEW MOON – June24,02h.31m. (2°♋47′)

D M	D W	Sidereal Time	☉ Long.	☉ Dec.	☽ Long.	☽ Lat.	☽ Dec.	☽ Node	24h. ☽ Long.	24h. ☽ Dec.
		h m s	° ′ ″	° ′	° ′ ″	° ′	° ′	° ′	° ′ ″	° ′
1	Th	4 40 39	11 ♊ 11 06	22 N07	10 ♍ 49 58	1 N10	8 N35	28 ☊ 12	17 ♍ 17 36	6 N35
2	F	4 44 36	12 08 35	22 15	23 40 09	2 14	4 33	28 09	29 58 07	2 N30
3	S	4 48 32	13 06 03	22 22	6 ♎ 12 03	3 09	0 N26	28 06	12 ♎ 22 27	1 S37
4	Su	4 52 29	14 03 30	22 29	18 29 49	3 55	3 S37	28 03	24 34 37	5 35
5	M	4 56 25	15 00 56	22 36	0 ♏ 37 15	4 30	7 28	28 00	6 ♏ 38 06	9 17
6	T	5 00 22	15 58 21	22 42	12 37 32	4 52	10 59	27 56	18 35 50	12 34
7	W	5 04 19	16 55 44	22 48	24 33 16	5 01	14 02	27 53	0 ♐ 30 05	15 21
8	Th	5 08 15	17 53 07	22 53	6 ♐ 26 29	4 57	16 30	27 50	12 22 41	17 28
9	F	5 12 12	18 50 29	22 58	18 18 50	4 40	18 16	27 47	24 15 09	18 51
10	S	5 16 08	19 47 50	23 03	0 ♑ 11 47	4 11	19 15	27 44	6 ♑ 08 58	19 25
11	Su	5 20 05	20 45 10	23 07	12 06 53	3 31	19 23	27 41	18 05 49	19 07
12	M	5 24 01	21 42 30	23 11	24 06 00	2 41	18 38	27 37	0 ♒ 07 46	17 57
13	T	5 27 58	22 39 49	23 14	6 ♒ 11 28	1 44	17 03	27 34	12 17 28	15 57
14	W	5 31 54	23 37 08	23 17	18 26 13	0 N40	14 39	27 31	24 38 09	13 11
15	Th	5 35 51	24 34 26	23 19	0 ♓ 53 46	0 S26	11 34	27 28	7 ♓ 13 33	9 47
16	F	5 39 48	25 31 43	23 22	13 38 02	1 33	7 52	27 25	20 07 42	5 50
17	S	5 43 44	26 29 01	23 23	26 43 02	2 37	3 S42	27 22	3 ♈ 24 26	1 S30
18	Su	5 47 41	27 26 18	23 25	10 ♈ 12 16	3 34	0 N46	27 18	17 06 46	3 N03
19	M	5 51 37	28 23 35	23 25	24 08 03	4 20	5 20	27 15	1 ♉ 16 05	7 34
20	T	5 55 34	29 ♊ 20 51	23 26	8 ♉ 30 35	4 52	9 44	27 12	15 51 09	11 46
21	W	5 59 30	0 ♋ 18 08	23 26	23 17 07	5 05	13 40	27 09	0 ♊ 47 37	15 21
22	Th	6 03 27	1 15 24	23 26	8 ♊ 21 36	4 58	16 47	27 06	15 57 51	17 56
23	F	6 07 23	2 12 40	23 25	23 35 04	4 30	18 47	27 02	1 ♋ 11 52	19 17
24	S	6 11 20	3 09 56	23 24	8 ♋ 46 56	3 43	19 26	26 59	16 18 57	19 14
25	Su	6 15 17	4 07 12	23 22	23 46 48	2 41	18 42	26 56	1 ♌ 09 30	17 51
26	M	6 19 13	5 04 27	23 20	8 ♌ 26 17	1 29	16 43	26 53	15 36 34	15 20
27	T	6 23 10	6 01 41	23 18	22 39 59	0 S14	13 44	26 50	29 36 23	11 58
28	W	6 27 06	6 58 55	23 15	6 ♍ 25 47	1 N00	10 05	26 47	13 ♍ 08 21	8 05
29	Th	6 31 03	7 56 09	23 12	19 44 21	2 08	6 02	26 43	26 14 12	3 N56
30	F	6 34 59	8 ♋ 53 22	23 N08	2 ♎ 38 20	3 N08	1 N49	26 ☊ 40	8 ♎ 57 18	0 S16

D M	Mercury Lat.	Mercury Dec.		Venus Lat.	Venus Dec.		Mars Lat.	Mars Dec.		Jupiter Lat.	Jupiter Dec.
	° ′	° ′	° ′	° ′	° ′	° ′	° ′	° ′	° ′	° ′	° ′
1	2 S 18	15 N41	16 N 15	2 S 10	7 N48	8 N06	0 N 52	24 N17	24 N 18	1 N 26	3 S 56
3	2 00	16 48	17 22	2 16	8 23	8 41	0 53	24 19	24 19	1 26	3 55
5	1 41	17 56	18 30	2 21	8 59	9 17	0 54	24 20	24 20	1 25	3 55
7	1 21	19 03	19 36	2 26	9 35	9 54	0 54	24 20	24 19	1 25	3 55
9	0 59	20 08	20 39	2 30	10 12	10 31	0 55	24 19	24 18	1 24	3 56
11	0 37	21 09	21 38	2 34	10 49	11 07	0 56	24 17	24 16	1 24	3 56
13	0 S 15	22 05	22 31	2 37	11 26	11 44	0 56	24 15	24 13	1 23	3 57
15	0 N07	22 55	23 17	2 39	12 03	12 21	0 57	24 11	24 09	1 22	3 58
17	0 28	23 37	23 54	2 41	12 39	12 58	0 57	24 07	24 05	1 22	4 00
19	0 47	24 09	24 21	2 43	13 16	13 34	0 58	24 02	23 59	1 21	4 01
21	1 05	24 31	24 37	2 43	13 52	14 10	0 59	23 56	23 53	1 21	4 03
23	1 20	24 41	24 42	2 44	14 27	14 45	0 59	23 50	23 47	1 20	4 06
25	1 33	24 40	24 36	2 43	15 02	15 19	1 00	23 43	23 39	1 20	4 08
27	1 42	24 29	24 19	2 43	15 36	15 53	1 00	23 35	23 31	1 19	4 11
29	1 49	24 07	23 N 52	2 41	16 10	16 N26	1 01	23 26	23 N 21	1 19	4 14
31	1 N53	23 N36		2 S 40	16 N42		1 N 01	23 N17		1 N 18	4 S 17

FIRST QUARTER – June 1,12h.42m. (11°♍13′)

FULL MOON–June 9,13h.10m. (18°♐53′)

D M	☿ Long.	♀ Long.	♂ Long.	♃ Long.	♄ Long.	♅ Long.	♆ Long.	♇ Long.	☉	☿	♀	♂	♃	♄	♅	♆	♇
	° ′	° ′	° ′	° ′	° ′	° ′	° ′	° ′									
1	20♉36	25♈22	27♊53	13♎19	25♐31	27♈01	14♓12	19♑00	□		⚼		⊻		⚼	☍	
2	22 15	26 19	28 33	13R 17	25R 27	27 04	14 13	18R 59		△		□		□			△
3	23 56	27 17	29 13	13 16	25 23	27 06	14 13	18 57		⚼							
4	25 39	28 14	29♊53	13 15	25 18	27 09	14 14	18 56	△				☌				□
5	27 25	29♈13	0♋33	13 14	25 14	27 12	14 14	18 55	⚼		☍	△		⚹	☍	⚼	
6	29♉13	0♉11	1 13	13 14	25 10	27 14	14 14	18 54				⚼	⊻	∠		△	
7	1♊04	1 10	1 52	13 13	25 05	27 17	14 15	18 53					∠	⊻			⚹
8	2 57	2 09	2 32	13 13	25 01	27 19	14 15	18 52		☍					⚼		∠
9	4 52	3 09	3 12	13 13	24 57	27 22	14 15	18 50	☍		⚼		⚹			□	⊻
10	6 50	4 09	3 52	13D 13	24 52	27 24	14 15	18 49			△	☍		☌	△		
11	8 49	5 09	4 31	13 13	24 48	27 26	14 15	18 48					□			⚹	
12	10 51	6 10	5 11	13 14	24 43	27 29	14 16	18 47		⚼				⊻	□	∠	☌
13	12 55	7 11	5 51	13 14	24 39	27 31	14 16	18 45	⚼		□			∠			
14	15 01	8 12	6 30	13 15	24 34	27 33	14 16	18 44	△	△		⚼	△	⚹		⊻	⊻
15	17 08	9 13	7 10	13 16	24 30	27 35	14 16	18 43					⚼		⚹		∠
16	19 16	10 15	7 50	13 17	24 26	27 38	14R 16	18 41			⚹	△			∠	☌	⚹
17	21 26	11 17	8 29	13 19	24 21	27 40	14 16	18 40	□	□	∠			□	⊻		
18	23 37	12 20	9 09	13 20	24 17	27 42	14 16	18 39			⊻	□	☍			⊻	
19	25 48	13 22	9 48	13 22	24 12	27 44	14 16	18 37	⚹	⚹				△	☌	∠	□
20	27♊59	14 25	10 27	13 24	24 08	27 46	14 16	18 36	∠	∠	☌	⚹		⚼		⚹	
21	0♋11	15 28	11 07	13 26	24 04	27 48	14 15	18 35	⊻			∠	⚼		⊻		△
22	2 23	16 31	11 46	13 28	23 59	27 50	14 15	18 33		⊻		⊻	△		∠	□	⚼
23	4 34	17 35	12 26	13 30	23 55	27 52	14 15	18 32			⊻			☍	⚹		
24	6 44	18 39	13 05	13 33	23 50	27 54	14 15	18 30	☌	☌	∠	☌	□			△	
25	8 54	19 43	13 44	13 35	23 46	27 56	14 15	18 29			⚹				□	⚼	☍
26	11 02	20 47	14 24	13 38	23 42	27 57	14 14	18 28	⊻	⊻		⊻	⚹	⚼			
27	13 09	21 51	15 03	13 41	23 38	27 59	14 14	18 26	∠	∠	□		∠	△	△		
28	15 14	22 56	15 42	13 45	23 33	28 01	14 14	18 25	⚹			∠			⚼		⚼
29	17 18	24 00	16 21	13 48	23 29	28 02	14 13	18 23		⚹	△	⚹	⊻	□		☍	△
30	19♋20	25♉05	17♋01	13♎52	23♐25	28♈04	14♓13	18♑22									

D M	Saturn Lat.	Saturn Dec.	Uranus Lat.	Uranus Dec.	Neptune Lat.	Neptune Dec.	Pluto Lat.	Pluto Dec.
	° ′	° ′	° ′	° ′	° ′	° ′	° ′	° ′
1	1N22	22S00	0S34	9N53	0S53	7S02	0N49	21S16
3	1 22	21 59	0 34	9 55	0 54	7 02	0 49	21 17
5	1 22	21 59	0 34	9 57	0 54	7 02	0 49	21 17
7	1 22	21 59	0 34	9 59	0 54	7 02	0 49	21 18
9	1 22	21 59	0 34	10 00	0 54	7 01	0 49	21 18
11	1 21	21 59	0 34	10 02	0 54	7 01	0 49	21 19
13	1 21	21 58	0 34	10 04	0 54	7 01	0 48	21 19
15	1 21	21 58	0 34	10 05	0 54	7 01	0 48	21 20
17	1 21	21 58	0 34	10 07	0 54	7 01	0 48	21 20
19	1 21	21 58	0 34	10 08	0 54	7 02	0 48	21 21
21	1 21	21 57	0 34	10 09	0 54	7 02	0 48	21 22
23	1 20	21 57	0 34	10 11	0 54	7 02	0 48	21 22
25	1 20	21 57	0 34	10 12	0 54	7 02	0 47	21 23
27	1 20	21 57	0 34	10 13	0 55	7 03	0 47	21 23
29	1 20	21 57	0 34	10 15	0 55	7 03	0 47	21 24
31	1N20	21S57	0S34	10N16	0S55	7S03	0N47	21S24

Mutual Aspects

1 ♀△♄.
2 ☉∠♅. ☿⊥♂.
3 ☉△♃. ☉±♇. ♀☌♅.
4 ☉□♆. ☿∇♄. ☿Q♆.
5 ☿⚼♃. ☿⊻♅. ♀∠♆. ♃Q♄.
7 ☿⊻♀.
8 ☿⊻♂. ☿⊥♅. ☿⚼♇. ♀∥♅.
9 ☉∇♇. ♀⚹♂. ♃Stat.
11 ☿⋕♇.
13 ☿⊥♀. ☿△♃. ☿∠♅. ☿±♇. ☿⋕♄.
14 ☿□♆.
15 ☉☍♄. ♀⚼♄.
16 ☿∇♇. ☉∥☿. ♆Stat.
18 ☉⚹♅. ☿☍♄.
19 ☉∠♀. ♀∇♃. ♂Q♅. ☿∥♂.
20 ☿⚹♅. ♀⚹♆.
21 ☉☌☿. ☿∠♀.
23 ♀±♄. 24 ♀△♇.
25 ☿Q♅. ♀±♃. ♂□♃.
26 ♂△♆. 27 ☿□♃.
28 ☿☌♂. ☿△♆.
29 ♀∇♄. 30 ☿☍♇.

LAST QUARTER–June17,11h.33m. (26°♓28′)

NEW MOON–July23,09h.46m. (0°♌44′)

D M	D W	Sidereal Time	☉ Long.	☉ Dec.	☽ Long.	☽ Lat.	☽ Dec.	☽ Node	24h. ☽ Long.	24h. ☽ Dec.
		h m s	° ′ ″	° ′	° ′ ″	° ′	° ′	° ′	° ′ ″	° ′
1	S	6 38 56	9 ♋ 50 34	23 N04	15 ♎ 11 37	3 N57	2 S 20	26 ☊ 37	21 ♎ 21 51	4 S 22
2	Su	6 42 52	10 47 46	23 00	27 28 33	4 34	6 19	26 34	3 ♏ 32 18	8 11
3	M	6 46 49	11 44 58	22 55	9 ♏ 33 35	4 58	9 58	26 31	15 32 56	11 38
4	T	6 50 46	12 42 10	22 50	21 30 48	5 08	13 10	26 27	27 27 38	14 35
5	W	6 54 42	13 39 21	22 44	3 ♐ 23 50	5 06	15 50	26 24	9 ♐ 19 44	16 55
6	Th	6 58 39	14 36 33	22 38	15 15 42	4 50	17 49	26 21	21 12 01	18 32
7	F	7 02 35	15 33 44	22 32	27 08 56	4 22	19 03	26 18	3 ♑ 06 42	19 21
8	S	7 06 32	16 30 55	22 25	9 ♑ 05 33	3 42	19 26	26 15	15 05 39	19 18
9	Su	7 10 28	17 28 06	22 18	21 07 15	2 51	18 57	26 12	27 10 29	18 23
10	M	7 14 25	18 25 18	22 10	3 ♒ 15 36	1 53	17 35	26 08	9 ♒ 22 47	16 36
11	T	7 18 21	19 22 30	22 02	15 32 14	0 N49	15 24	26 05	21 44 13	14 01
12	W	7 22 18	20 19 42	21 54	27 58 58	0 S 19	12 28	26 02	4 ♓ 16 45	10 46
13	Th	7 26 15	21 16 54	21 45	10 ♓ 37 53	1 27	8 55	25 59	17 02 39	6 58
14	F	7 30 11	22 14 07	21 36	23 31 22	2 32	4 54	25 56	0 ♈ 04 20	2 S 46
15	S	7 34 08	23 11 20	21 27	6 ♈ 41 51	3 31	0 S 34	25 53	13 24 11	1 N40
16	Su	7 38 04	24 08 34	21 17	20 11 33	4 19	3 N53	25 49	27 04 08	6 06
17	M	7 42 01	25 05 49	21 07	4 ♉ 01 59	4 54	8 15	25 46	11 ♉ 05 05	10 19
18	T	7 45 57	26 03 04	20 56	18 13 17	5 11	12 16	25 43	25 26 18	14 03
19	W	7 49 54	27 00 20	20 45	2 ♊ 43 42	5 10	15 38	25 40	10 ♊ 04 54	16 59
20	Th	7 53 50	27 57 37	20 34	17 29 12	4 49	18 03	25 37	24 55 43	18 50
21	F	7 57 47	28 54 55	20 22	2 ♋ 23 30	4 07	19 17	25 33	9 ♋ 51 32	19 25
22	S	8 01 44	29 ♋ 52 14	20 10	17 18 45	3 09	19 11	25 30	24 44 05	18 38
23	Su	8 05 40	0 ♌ 49 33	19 58	2 ♌ 06 33	1 59	17 45	25 27	9 ♌ 25 13	16 36
24	M	8 09 37	1 46 52	19 46	16 39 18	0 S 42	15 11	25 24	23 48 07	13 33
25	T	8 13 33	2 44 12	19 33	0 ♍ 51 12	0 N36	11 44	25 21	7 ♍ 48 10	9 47
26	W	8 17 30	3 41 33	19 19	14 38 51	1 50	7 44	25 18	21 23 11	5 37
27	Th	8 21 26	4 38 54	19 06	28 01 17	2 56	3 N28	25 14	4 ♎ 33 19	1 N19
28	F	8 25 23	5 36 15	18 52	10 ♎ 59 37	3 50	0 S 49	25 11	17 20 34	2 S 55
29	S	8 29 19	6 33 37	18 38	23 36 36	4 32	4 57	25 08	29 48 14	6 55
30	Su	8 33 16	7 30 59	18 23	5 ♏ 55 59	5 00	8 47	25 05	12 ♏ 00 25	10 32
31	M	8 37 13	8 ♌ 28 22	18 N08	18 ♏ 02 05	5 N14	12 S 10	25 ☊ 02	24 ♏ 01 33	13 S 40

D M	Mercury Lat.	Mercury Dec.		Venus Lat.	Venus Dec.		Mars Lat.	Mars Dec.		Jupiter Lat.	Jupiter Dec.
	° ′	° ′	° ′	° ′	° ′	° ′	° ′	° ′	° ′	° ′	° ′
1	1 N53	23 N36	23 N 17	2 S 40	16 N42	16 N58	1 N 01	23 N17	23 N 12	1 N 18	4 S 17
3	1 53	22 56	22 34	2 38	17 13	17 29	1 02	23 06	23 01	1 18	4 21
5	1 51	22 10	21 44	2 35	17 44	17 58	1 02	22 56	22 50	1 17	4 25
7	1 47	21 17	20 49	2 33	18 13	18 27	1 02	22 44	22 38	1 17	4 29
9	1 40	20 20	19 49	2 29	18 40	18 53	1 03	22 32	22 25	1 16	4 33
11	1 31	19 18	18 46	2 26	19 06	19 19	1 03	22 19	22 12	1 16	4 37
13	1 19	18 13	17 40	2 22	19 31	19 43	1 04	22 05	21 58	1 15	4 42
15	1 06	17 06	16 31	2 18	19 54	20 05	1 04	21 51	21 43	1 15	4 47
17	0 51	15 57	15 22	2 13	20 15	20 25	1 04	21 36	21 28	1 14	4 52
19	0 34	14 47	14 12	2 09	20 35	20 44	1 05	21 20	21 12	1 14	4 57
21	0 N16	13 37	13 02	2 04	20 52	21 01	1 05	21 04	20 56	1 13	5 03
23	0 S 03	12 27	11 52	1 59	21 08	21 15	1 05	20 47	20 39	1 13	5 09
25	0 24	11 17	10 43	1 53	21 22	21 28	1 06	20 30	20 21	1 13	5 14
27	0 46	10 10	9 37	1 48	21 33	21 38	1 06	20 12	20 03	1 12	5 21
29	1 08	9 05	8 N 33	1 42	21 43	21 N47	1 06	19 54	19 N 44	1 12	5 27
31	1 S 32	8 N02		1 S 36	21 N50		1 N 07	19 N35		1 N 11	5 S 33

FIRST QUARTER–July 1,00h.51m. (9°♎24′) & July30,15h.23m. (7°♏39′)

FULL MOON–July 9,04h.07m. (17°♑09′)

D M	☿ Long.	♀ Long.	♂ Long.	♃ Long.	♄ Long.	♅ Long.	♆ Long.	♇ Long.	☉	☿	♀	♂	♃	♄	♅	♆	♇
	° ′	° ′	° ′	° ′	° ′	° ′	° ′	° ′									
1	21♋21	26♉10	17♋40	13♎55	23♐21	28♈06	14♓12	18♑20	□		⚼	□	☌				□
2	23 19	27 16	18 19	13 59	23R 17	28 07	14R 12	18R 19		□				⚹	☍	⚼	
3	25 16	28 21	18 58	14 03	23 12	28 09	14 11	18 17	△				⚺	∠		△	
4	27 10	29♉27	19 37	14 07	23 08	28 10	14 11	18 16				△		⚺			⚹
5	29♋03	0♊32	20 16	14 12	23 04	28 12	14 10	18 15	⚼	△	☍	⚼	∠				∠
6	0♌54	1 38	20 55	14 16	23 00	28 13	14 09	18 13		⚼			⚹		⚼	□	⚺
7	2 42	2 44	21 34	14 21	22 57	28 14	14 09	18 12						☌	△		
8	4 29	3 51	22 13	14 26	22 53	28 15	14 08	18 10					□			⚹	
9	6 13	4 57	22 52	14 31	22 49	28 17	14 07	18 09	☍		⚼	☍		⚺			☌
10	7 56	6 04	23 31	14 36	22 45	28 18	14 07	18 07		☍	△			∠	□	∠	
11	9 36	7 10	24 10	14 41	22 41	28 19	14 06	18 06					△			⚺	⚺
12	11 15	8 17	24 49	14 47	22 38	28 20	14 05	18 04					⚼	⚹	⚹		∠
13	12 51	9 24	25 28	14 52	22 34	28 21	14 04	18 03	⚼		□	⚼			∠	☌	
14	14 26	10 31	26 07	14 58	22 31	28 22	14 04	18 01	△			△		□	⚺		⚹
15	15 58	11 39	26 46	15 04	22 27	28 23	14 03	18 00		⚼	⚹						
16	17 29	12 46	27 24	15 10	22 24	28 24	14 02	17 58	□	△			☍	△		⚺	□
17	18 57	13 54	28 03	15 16	22 20	28 25	14 01	17 57			∠	□		⚼	☌	∠	
18	20 23	15 01	28 42	15 22	22 17	28 25	14 00	17 55		□	⚺					⚹	△
19	21 48	16 09	29 21	15 28	22 14	28 26	13 59	17 54	⚹			⚹	⚼		⚺		⚼
20	23 10	17 17	29♋59	15 35	22 10	28 27	13 58	17 53	∠	⚹	☌	∠	△	☍	∠	□	
21	24 30	18 25	0♌38	15 42	22 07	28 28	13 57	17 51	⚺			⚺			⚹		
22	25 47	19 33	1 17	15 49	22 04	28 28	13 56	17 50		∠	⚺		□			△	☍
23	27 03	20 41	1 56	15 56	22 01	28 29	13 55	17 48	☌	⚺	∠	☌		⚼	□	⚼	
24	28 16	21 50	2 34	16 03	21 59	28 29	13 54	17 47			⚹		⚹	△			
25	29♌26	22 58	3 13	16 10	21 56	28 30	13 53	17 45	⚺	●		⚺	∠		△		⚼
26	0♍35	24 07	3 52	16 17	21 53	28 30	13 51	17 44	∠			∠	⚺		⚼	☍	△
27	1 40	25 16	4 30	16 25	21 50	28 30	13 50	17 43		⚺	□			□			
28	2 43	26 25	5 09	16 32	21 48	28 31	13 49	17 41	⚹			⚹	☌				
29	3 44	27 33	5 47	16 40	21 45	28 31	13 48	17 40		∠	△			⚹	☍	⚼	□
30	4 41	28 43	6 26	16 48	21 43	28 31	13 47	17 38	□	⚹		□		∠			
31	5♍36	29♊52	7♌05	16♎56	21♐40	28♈31	13♓45	17♑37			⚼		⚺	⚺		△	⚹

D M	Saturn Lat.	Saturn Dec.	Uranus Lat.	Uranus Dec.	Neptune Lat.	Neptune Dec.	Pluto Lat.	Pluto Dec.
	° ′	° ′	° ′	° ′	° ′	° ′	° ′	° ′
1	1N20	21S57	0S34	10N16	0S55	7S03	0N47	21S24
3	1 19	21 56	0 34	10 17	0 55	7 04	0 47	21 25
5	1 19	21 56	0 34	10 18	0 55	7 04	0 46	21 26
7	1 19	21 56	0 34	10 19	0 55	7 05	0 46	21 26
9	1 19	21 56	0 34	10 19	0 55	7 05	0 46	21 27
11	1 18	21 56	0 35	10 20	0 55	7 06	0 46	21 27
13	1 18	21 56	0 35	10 21	0 55	7 07	0 46	21 28
15	1 18	21 56	0 35	10 21	0 55	7 07	0 45	21 28
17	1 17	21 55	0 35	10 22	0 55	7 08	0 45	21 29
19	1 17	21 55	0 35	10 23	0 55	7 09	0 45	21 30
21	1 17	21 55	0 35	10 23	0 55	7 10	0 45	21 30
23	1 17	21 55	0 35	10 23	0 55	7 11	0 45	21 31
25	1 16	21 55	0 35	10 24	0 55	7 12	0 44	21 31
27	1 16	21 55	0 35	10 24	0 56	7 13	0 44	21 32
29	1 16	21 55	0 35	10 24	0 56	7 14	0 44	21 33
31	1N15	21S55	0S35	10N24	0S56	7S15	0N44	21S33

Mutual Aspects

1 ☉Q♅. ♀Q♆.
2 ☿∇♄. ♂☍♇. ☿∥♂.
3 ♀⚺♅. ☉∥☿.
4 ♀⚼♃.
5 ☿±♄. ☿□♅. ☿⚼♆. ♃∇♆.
6 ☉□♃. ☉△♆. ☿#♄.
7 ☿⚹♀. ☿Q♃. ♀⚼♇. ☿#♇.
8 ♀⊥♅. 9 ♂∇♄.
10 ☉☍♇. ☿⚼♄. ☿±♆.
11 ☿∥♀. 12 ☉#♄.
14 ☉∇♄. ☿⚹♃. ☿∇♆. ♂#♄.
15 ♀∠♂. ♀±♇. ☉#♇.
16 ☿∇♇.
17 ♀∠♅. ♀□♆. ♂±♄.
18 ♀△♃. ♂□♅. ♂⚼♆. ♂#♇.
19 ☿△♄.
20 ☉±♄. ☉∥♀.
21 ☉□♅. ☉⚼♆. ☿±♇. ♀∇♇.
22 ♀∥♂.
24 ☿△♅. ♀☍♄.
27 ☉☌♂. ☉Q♃. ☿∠♃. ♂Q♃. ☿∥♅. ♀#♇.
28 ☿⚼♇. 29 ☉⚼♄.
30 ☉±♆. ♀⚹♅. ♂⚼♄.

LAST QUARTER–July16,19h.26m. (24°♈26′)

NEW MOON – Aug.21,18h.30m. (28° ♌ 53′)

D M	D W	Sidereal Time	☉ Long.	☉ Dec.	☽ Long.	☽ Lat.	☽ Dec.	☽ Node	24h. ☽ Long.	24h. ☽ Dec.
		h m s	° ′ ″	° ′	° ′ ″	° ′	° ′	° ′	° ′ ″	° ′
1	T	8 41 09	9 ♌ 25 46	17 N53	29 ♏ 59 23	5 N14	15 S 01	24 ♌ 59	5 ♐ 56 06	16 S 13
2	W	8 45 06	10 23 10	17 38	11 ♐ 52 14	5 01	17 14	24 55	17 48 16	18 04
3	Th	8 49 02	11 20 35	17 22	23 44 39	4 35	18 42	24 52	29 41 50	19 08
4	F	8 52 59	12 18 01	17 06	5 ♑ 40 12	3 57	19 22	24 49	11 ♑ 40 07	19 22
5	S	8 56 55	13 15 27	16 50	17 41 53	3 09	19 09	24 46	23 45 48	18 42
6	Su	9 00 52	14 12 55	16 34	29 52 06	2 11	18 03	24 43	6 ♒ 01 01	17 10
7	M	9 04 48	15 10 23	16 17	12 ♒ 12 43	1 N06	16 05	24 39	18 27 21	14 47
8	T	9 08 45	16 07 52	16 00	24 45 03	0 S 03	13 19	24 36	1 ♓ 05 56	11 41
9	W	9 12 42	17 05 22	15 43	7 ♓ 30 04	1 13	9 53	24 33	13 57 32	7 58
10	Th	9 16 38	18 02 54	15 25	20 28 22	2 21	5 56	24 30	27 02 38	3 S 49
11	F	9 20 35	19 00 26	15 07	3 ♈ 40 22	3 22	1 S 38	24 27	10 ♈ 21 35	0 N35
12	S	9 24 31	19 58 00	14 49	17 06 17	4 13	2 N49	24 24	23 54 27	5 02
13	Su	9 28 28	20 55 36	14 31	0 ♉ 46 05	4 51	7 11	24 20	7 ♉ 41 07	9 16
14	M	9 32 24	21 53 13	14 13	14 39 26	5 13	11 15	24 17	21 40 56	13 05
15	T	9 36 21	22 50 52	13 54	28 45 25	5 16	14 44	24 14	5 ♊ 52 39	16 11
16	W	9 40 17	23 48 32	13 35	13 ♊ 02 19	5 00	17 24	24 11	20 14 04	18 20
17	Th	9 44 14	24 46 14	13 16	27 27 27	4 25	18 59	24 08	4 ♋ 41 59	19 20
18	F	9 48 11	25 43 57	12 56	11 ♋ 57 05	3 34	19 21	24 05	19 12 09	19 03
19	S	9 52 07	26 41 42	12 37	26 26 32	2 28	18 26	24 01	3 ♌ 39 35	17 31
20	Su	9 56 04	27 39 28	12 17	10 ♌ 50 38	1 S 14	16 20	23 58	17 59 01	14 53
21	M	10 00 00	28 37 16	11 57	25 04 08	0 N05	13 14	23 55	2 ♍ 05 26	11 24
22	T	10 03 57	29 ♌ 35 05	11 37	9 ♍ 02 26	1 21	9 26	23 52	15 54 45	7 21
23	W	10 07 53	0 ♍ 32 56	11 17	22 42 05	2 31	5 13	23 49	29 24 15	3 N02
24	Th	10 11 50	1 30 48	10 56	6 ♎ 01 07	3 31	0 N51	23 45	12 ♎ 32 44	1 S 19
25	F	10 15 46	2 28 41	10 35	18 59 12	4 19	3 S 26	23 42	25 20 42	5 30
26	S	10 19 43	3 26 36	10 15	1 ♏ 37 32	4 52	7 28	23 39	7 ♏ 50 03	9 19
27	Su	10 23 40	4 24 31	9 54	13 58 40	5 12	11 04	23 36	20 03 51	12 41
28	M	10 27 36	5 22 29	9 32	26 06 06	5 16	14 09	23 33	2 ♐ 05 59	15 27
29	T	10 31 33	6 20 27	9 11	8 ♐ 04 03	5 07	16 36	23 30	14 00 54	17 33
30	W	10 35 29	7 18 27	8 50	19 57 05	4 45	18 19	23 26	25 53 14	18 53
31	Th	10 39 26	8 ♍ 16 28	8 N28	1 ♑ 49 53	4 N11	19 S 15	23 ♌ 23	7 ♑ 47 37	19 S 23

D M	Mercury Lat.	Mercury Dec.	Mercury Dec.	Venus Lat.	Venus Dec.	Venus Dec.	Mars Lat.	Mars Dec.	Mars Dec.	Jupiter Lat.	Jupiter Dec.
	° ′	° ′	° ′	° ′	° ′	° ′	° ′	° ′	° ′	° ′	° ′
1	1 S 44	7 N32	7 N 03	1 S 33	21 N53	21 N55	1 N 07	19 N25	19 N 15	1 N 11	5 S 36
3	2 08	6 36	6 09	1 27	21 57	21 58	1 07	19 05	18 55	1 11	5 43
5	2 32	5 44	5 21	1 21	21 58	21 58	1 07	18 45	18 34	1 10	5 50
7	2 56	4 59	4 38	1 14	21 58	21 56	1 08	18 24	18 13	1 10	5 57
9	3 19	4 20	4 04	1 08	21 54	21 52	1 08	18 02	17 51	1 09	6 04
11	3 41	3 50	3 38	1 01	21 49	21 45	1 08	17 40	17 29	1 09	6 11
13	4 01	3 29	3 23	0 55	21 41	21 36	1 08	17 18	17 07	1 09	6 19
15	4 18	3 19	3 19	0 48	21 31	21 25	1 09	16 55	16 44	1 08	6 26
17	4 31	3 21	3 27	0 42	21 18	21 11	1 09	16 32	16 20	1 08	6 34
19	4 40	3 36	3 48	0 35	21 03	20 55	1 09	16 08	15 57	1 08	6 42
21	4 42	4 03	4 22	0 29	20 46	20 36	1 09	15 44	15 32	1 07	6 50
23	4 38	4 43	5 07	0 22	20 26	20 15	1 09	15 20	15 08	1 07	6 58
25	4 26	5 33	6 00	0 16	20 04	19 52	1 09	14 55	14 43	1 07	7 06
27	4 06	6 30	7 00	0 09	19 39	19 26	1 10	14 30	14 17	1 06	7 14
29	3 39	7 31	8 N 01	0 S 03	19 13	18 N59	1 10	14 04	13 N 52	1 06	7 23
31	3 S 07	8 N31		0 N 03	18 N44		1 N 10	13 N39		1 N 06	7 S 31

FIRST QUARTER – Aug.29,08h.13m. (6° ♐ 11′)

EPHEMERIS]				AUGUST 2017														17
D	☿	♀	♂	♃	♄	♅	♆	♇	Lunar Aspects									
M	Long.	Long.	Long.	Long.	Long.	Long.	Long.	Long.	☉	☿	♀	♂	♃	♄	♅	♆	♇
	° ′	° ′	° ′	° ′	° ′	° ′	° ′	° ′									
1	6♍27	1♋01	7♌43	17♎04	21♐38	28♈31	13♓44	17♑36					∠				∠
2	7 15	2 10	8 22	17 12	21R 36	28 32	13R 43	17R 34	△	□		△	✱		⚼	□	⊻
3	8 00	3 20	9 00	17 21	21 34	28R 32	13 41	17 33	⚼			⚼		☌	△		
4	8 41	4 29	9 39	17 29	21 32	28 32	13 40	17 32		△	☍						
5	9 18	5 39	10 17	17 37	21 30	28 31	13 39	17 30					□	⊻		✱	☌
6	9 51	6 49	10 56	17 46	21 28	28 31	13 37	17 29		⚼					□	∠	
7	10 21	7 58	11 34	17 55	21 26	28 31	13 36	17 28	☍			☍	△	∠		⊻	⊻
8	10 46	9 08	12 12	18 04	21 25	28 31	13 35	17 27			⚼			✱	✱		
9	11 06	10 18	12 51	18 13	21 23	28 31	13 33	17 25		☍	△		⚼		∠	☌	∠
10	11 21	11 28	13 29	18 22	21 22	28 30	13 32	17 24						□			✱
11	11 32	12 39	14 08	18 31	21 20	28 30	13 30	17 23	⚼			⚼			⊻		
12	11 38	13 49	14 46	18 40	21 19	28 29	13 29	17 22	△		□	△	☍	△		⊻	□
13	11R 38	14 59	15 24	18 50	21 18	28 29	13 27	17 21		⚼				⚼	☌	∠	
14	11 33	16 10	16 03	18 59	21 17	28 28	13 26	17 19		△	✱	□				✱	△
15	11 22	17 20	16 41	19 09	21 16	28 28	13 24	17 18	□		∠		⚼		⊻		⚼
16	11 06	18 31	17 19	19 18	21 15	28 27	13 23	17 17		□	⊻	✱	△		∠	□	
17	10 44	19 42	17 58	19 28	21 14	28 27	13 21	17 16	✱			∠		☍	✱		
18	10 16	20 53	18 36	19 38	21 13	28 26	13 20	17 15	∠	✱		⊻				△	☍
19	9 44	22 04	19 14	19 48	21 13	28 25	13 18	17 14	⊻	∠	☌		□		□	⚼	
20	9 06	23 15	19 53	19 58	21 12	28 24	13 17	17 13		⊻				⚼			
21	8 24	24 26	20 31	20 08	21 12	28 23	13 15	17 12	☌		⊻	☌	✱	△	△		
22	7 37	25 37	21 09	20 19	21 11	28 23	13 13	17 11		☌	∠		∠		⚼	☍	⚼
23	6 48	26 48	21 47	20 29	21 11	28 22	13 12	17 10			✱	⊻	⊻	□			△
24	5 55	27 59	22 26	20 39	21 11	28 21	13 10	17 09	⊻	⊻		∠					
25	5 02	29♋11	23 04	20 50	21 11	28 20	13 09	17 08	∠	∠		✱	☌	✱			□
26	4 07	0♌22	23 42	21 00	21D 11	28 19	13 07	17 07	✱	✱	□			∠	☍	⚼	
27	3 13	1 34	24 20	21 11	21 11	28 17	13 05	17 06								△	✱
28	2 21	2 46	24 59	21 22	21 11	28 16	13 04	17 05		□		□	⊻	⊻			∠
29	1 32	3 57	25 37	21 33	21 12	28 15	13 02	17 04	□		△		∠		⚼	□	
30	0 46	5 09	26 15	21 43	21 12	28 14	13 01	17 04			⚼		✱	☌			⊻
31	0♍05	6♌21	26♌53	21♎54	21♐13	28♈13	12♓59	17♑03		△		△			△		

D	Saturn		Uranus		Neptune		Pluto	
M	Lat.	Dec.	Lat.	Dec.	Lat.	Dec.	Lat.	Dec.
	° ′	° ′	° ′	° ′	° ′	° ′	° ′	° ′
1	1N15	21S55	0S35	10N24	0S56	7S15	0N44	21S33
3	1 15	21 55	0 35	10 24	0 56	7 16	0 43	21 34
5	1 14	21 56	0 35	10 24	0 56	7 17	0 43	21 35
7	1 14	21 56	0 35	10 24	0 56	7 18	0 43	21 35
9	1 14	21 56	0 35	10 24	0 56	7 20	0 43	21 36
11	1 13	21 56	0 35	10 23	0 56	7 21	0 43	21 36
13	1 13	21 56	0 35	10 23	0 56	7 22	0 42	21 37
15	1 13	21 56	0 35	10 23	0 56	7 23	0 42	21 37
17	1 12	21 57	0 35	10 22	0 56	7 24	0 42	21 38
19	1 12	21 57	0 35	10 22	0 56	7 25	0 42	21 38
21	1 11	21 57	0 35	10 21	0 56	7 27	0 41	21 39
23	1 11	21 58	0 36	10 20	0 56	7 28	0 41	21 39
25	1 11	21 58	0 36	10 19	0 56	7 29	0 41	21 40
27	1 10	21 58	0 36	10 19	0 56	7 31	0 41	21 40
29	1 10	21 59	0 36	10 18	0 56	7 32	0 41	21 40
31	1N10	21S59	0S36	10N17	0S56	7S33	0N40	21S41

Mutual Aspects

1 ♂±♆.
2 ♀⊥♂. ☿∥♆. ♀∥♄.
3 ♅Stat. 4 ♃□♇.
5 ☉∇♆. ☿∥♃.
8 ♀∥♄.
9 ☉∇♇. ♀Q♅.
10 ☉✱♃. ☿✱♀. ♂∇♆.
11 ♅∠♆. 12 ♀△♆.
13 ☉⊥♀. ☉△♄. ☿Stat.
14 ♀⊻♂. ♀∥♇.
15 ☉±♇. ♀☍♇.
16 ♂∇♇. ♃±♆.
17 ♀□♃. 18 ♀∇♄.
20 ☿∠♀. ♂✱♃.
21 ☉△♅. 22 ♂△♄.
23 ♀±♄.
24 ☿∠♃. ♀□♅. ♀⚼♆.
25 ☉⚼♇. ☿⊥♀. ♂±♇. ♄Stat.
26 ☉☌☿. ☉∥♅.
27 ♃✱♄.
28 ☿⊻♀. ☿⚼♇.
29 ☉∠♃. ☿∥♃. ☿∥♆.
31 ♀⚼♄. ☉∥☿.

NEW MOON – Sep.20,05h.30m. (27°♍27′)

D M	D W	Sidereal Time	☉ Long.	☉ Dec.	☽ Long.	☽ Lat.	☽ Dec.	☽ Node	24h. ☽ Long.	24h. ☽ Dec.
		h m s	° ′ ″	° ′	° ′ ″	° ′	° ′	° ′	° ′ ″	° ′
1	F	10 43 22	9 ♍ 14 31	8 N06	13 ♑ 46 57	3 N25	19 S 19	23 ☊ 20	19 ♑ 48 24	19 S 01
2	S	10 47 19	10 12 35	7 44	25 52 26	2 30	18 30	23 17	1 ♒ 59 29	17 46
3	Su	10 51 15	11 10 40	7 22	8 ♒ 09 54	1 28	16 49	23 14	14 24 02	15 39
4	M	10 55 12	12 08 47	7 00	20 42 06	0 N19	14 17	23 11	27 04 19	12 44
5	T	10 59 09	13 06 55	6 38	3 ♓ 30 49	0 S 51	11 01	23 07	10 ♓ 01 36	9 08
6	W	11 03 05	14 05 06	6 16	16 36 41	2 00	7 08	23 04	23 15 58	5 01
7	Th	11 07 02	15 03 18	5 53	29 59 16	3 04	2 S 49	23 01	6 ♈ 46 22	0 S 35
8	F	11 10 58	16 01 31	5 31	13 ♈ 36 59	3 59	1 N42	22 58	20 30 48	3 N58
9	S	11 14 55	16 59 47	5 08	27 27 27	4 41	6 12	22 55	4 ♉ 26 34	8 21
10	Su	11 18 51	17 58 04	4 45	11 ♉ 27 45	5 06	10 24	22 51	18 30 37	12 19
11	M	11 22 48	18 56 24	4 23	25 34 48	5 14	14 04	22 48	2 ♊ 39 56	15 37
12	T	11 26 44	19 54 46	4 00	9 ♊ 45 41	5 02	16 56	22 45	16 51 44	17 59
13	W	11 30 41	20 53 10	3 37	23 57 49	4 32	18 46	22 42	1 ♋ 03 40	19 15
14	Th	11 34 38	21 51 37	3 14	8 ♋ 09 00	3 45	19 26	22 39	15 13 38	19 18
15	F	11 38 34	22 50 05	2 51	22 17 17	2 45	18 53	22 36	29 19 43	18 09
16	S	11 42 31	23 48 36	2 27	6 ♌ 20 42	1 35	17 09	22 32	13 ♌ 19 59	15 53
17	Su	11 46 27	24 47 08	2 04	20 17 15	0 S 20	14 24	22 29	27 12 15	12 43
18	M	11 50 24	25 45 43	1 41	4 ♍ 04 41	0 N55	10 52	22 26	10 ♍ 54 15	8 53
19	T	11 54 20	26 44 20	1 18	17 40 40	2 06	6 48	22 23	24 23 40	4 39
20	W	11 58 17	27 42 58	0 54	1 ♎ 03 00	3 08	2 N28	22 20	7 ♎ 38 28	0 N16
21	Th	12 02 13	28 41 39	0 31	14 09 56	4 00	1 S 54	22 16	20 37 17	4 S 02
22	F	12 06 10	29 ♍ 40 21	0 N08	27 00 30	4 37	6 05	22 13	3 ♏ 19 38	8 03
23	S	12 10 07	0 ♎ 39 05	0 S 16	9 ♏ 34 47	5 01	9 55	22 10	15 46 10	11 39
24	Su	12 14 03	1 37 52	0 39	21 54 01	5 10	13 14	22 07	27 58 40	14 41
25	M	12 18 00	2 36 39	1 02	4 ♐ 00 31	5 05	15 57	22 04	10 ♐ 00 02	17 02
26	T	12 21 56	3 35 29	1 26	15 57 41	4 47	17 57	22 01	21 54 02	18 39
27	W	12 25 53	4 34 21	1 49	27 49 39	4 16	19 09	21 57	3 ♑ 45 10	19 26
28	Th	12 29 49	5 33 14	2 12	9 ♑ 41 10	3 35	19 31	21 54	15 38 19	19 22
29	F	12 33 46	6 32 09	2 36	21 37 16	2 44	19 00	21 51	27 38 37	18 25
30	S	12 37 42	7 ♎ 31 06	2 S 59	3 ♒ 43 00	1 N45	17 S 37	21 ☊ 48	9 ♒ 51 00	16 S 36

D M	Mercury Lat.	Mercury Dec.	Mercury Dec.	Venus Lat.	Venus Dec.	Venus Dec.	Mars Lat.	Mars Dec.	Mars Dec.	Jupiter Lat.	Jupiter Dec.
	° ′	° ′	° ′	° ′	° ′	° ′	° ′	° ′	° ′	° ′	° ′
1	2 S 50	8 N59	9 N 26	0 N 06	18 N29	18 N13	1 N 10	13 N25	13 N 12	1 N 06	7 S 35
3	2 13	9 51	10 13	0 12	17 57	17 40	1 10	12 59	12 46	1 05	7 44
5	1 35	10 32	10 49	0 18	17 23	17 05	1 10	12 32	12 19	1 05	7 52
7	0 57	11 01	11 10	0 24	16 47	16 28	1 10	12 05	11 52	1 05	8 01
9	0 S 22	11 16	11 17	0 29	16 09	15 49	1 10	11 38	11 24	1 05	8 10
11	0 N10	11 15	11 09	0 35	15 29	15 09	1 10	11 11	10 57	1 04	8 19
13	0 38	10 59	10 45	0 40	14 48	14 26	1 10	10 43	10 29	1 04	8 27
15	1 01	10 27	10 06	0 45	14 05	13 42	1 10	10 15	10 01	1 04	8 36
17	1 20	9 42	9 15	0 50	13 20	12 57	1 10	9 47	9 32	1 04	8 45
19	1 34	8 45	8 12	0 54	12 33	12 10	1 10	9 18	9 04	1 03	8 54
21	1 44	7 37	7 00	0 59	11 46	11 21	1 10	8 49	8 35	1 03	9 03
23	1 50	6 21	5 41	1 03	10 56	10 31	1 10	8 20	8 06	1 03	9 12
25	1 52	4 59	4 16	1 07	10 06	9 40	1 10	7 51	7 37	1 03	9 22
27	1 51	3 32	2 47	1 10	9 14	8 48	1 10	7 22	7 08	1 03	9 31
29	1 47	2 01	1 N 16	1 14	8 22	7 N55	1 10	6 53	6 N 38	1 03	9 40
31	1 N41	0 N29		1 N 17	7 N28		1 N 10	6 N23		1 N 02	9 S 49

FIRST QUARTER – Sep.28,02h.53m. (5°♑11′)

FULL MOON–Sep. 6,07h.03m. (13° ♓ 53′)

D M	☿ Long.	♀ Long.	♂ Long.	♃ Long.	♄ Long.	♅ Long.	♆ Long.	♇ Long.	☉	☿	♀	♂	♃	♄	♅	♆	♇
	° ′	° ′	° ′	° ′	° ′	° ′	° ′	° ′									
1	29♌31	7♌33	27♌31	22♎05	21♐13	28♈11	12♓57	17♑02	△	⚻		⚻				⚹	☌
2	29R 03	8 45	28 09	22 17	21 14	28R 10	12R 56	17R 01	⚻				□	⚺	□	∠	
3	28 42	9 57	28 48	22 28	21 15	28 08	12 54	17 01			☍			∠		⚺	
4	28 30	11 09	29♌26	22 39	21 16	28 07	12 52	17 00					△	⚹			⚺
5	28D 25	12 21	0♍04	22 50	21 17	28 05	12 51	16 59		☍		☍	⚻		⚹		∠
6	28 30	13 34	0 42	23 02	21 18	28 04	12 49	16 59	☍					□	∠	☌	⚹
7	28 43	14 46	1 20	23 13	21 19	28 02	12 47	16 58			⚻				⚺		
8	29 06	15 58	1 58	23 25	21 20	28 01	12 46	16 57		⚻	△	⚻				⚺	□
9	29♌37	17 11	2 36	23 36	21 22	27 59	12 44	16 57	⚻	△		△	☍	△	☌	∠	
10	0♍16	18 23	3 14	23 48	21 23	27 57	12 42	16 56	△					⚻		⚹	△
11	1 04	19 36	3 52	24 00	21 25	27 56	12 41	16 56		□	□				⚺		⚻
12	1 59	20 49	4 31	24 11	21 27	27 54	12 39	16 55				□	⚻		∠	□	
13	3 02	22 02	5 09	24 23	21 28	27 52	12 37	16 55	□		⚹		△	☍	⚹		
14	4 12	23 14	5 47	24 35	21 30	27 50	12 36	16 54		⚹	∠	⚹				△	
15	5 27	24 27	6 25	24 47	21 32	27 49	12 34	16 54	⚹	∠	⚺	∠	□		□	⚻	☍
16	6 49	25 40	7 03	24 59	21 34	27 47	12 33	16 54	∠	⚺		⚺		⚻			
17	8 16	26 53	7 41	25 11	21 37	27 45	12 31	16 53	⚺				⚹	△			
18	9 47	28 06	8 19	25 23	21 39	27 43	12 29	16 53		●	●	●	∠		△		⚻
19	11 22	29♌20	8 57	25 35	21 41	27 41	12 28	16 53						□	⚻	☍	△
20	13 01	0♍33	9 35	25 47	21 44	27 39	12 26	16 52	☌		⚺		⚺				
21	14 42	1 46	10 13	26 00	21 46	27 37	12 25	16 52		⚺	∠	⚺					□
22	16 26	2 59	10 51	26 12	21 49	27 35	12 23	16 52	⚺	∠		∠	☌	⚹	☍	⚻	
23	18 11	4 13	11 29	26 24	21 51	27 33	12 22	16 52			⚹	⚹		∠		△	
24	19 58	5 26	12 07	26 37	21 54	27 30	12 20	16 52	∠	⚹			⚺	⚺			⚹
25	21 46	6 40	12 45	26 49	21 57	27 28	12 18	16 51	⚹		□						∠
26	23 34	7 53	13 23	27 01	22 00	27 26	12 17	16 51				□	∠		⚻	□	⚺
27	25 24	9 07	14 01	27 14	22 03	27 24	12 15	16 51		□			⚹	☌	△		
28	27 13	10 21	14 39	27 26	22 06	27 22	12 14	16 51	□		△	△				⚹	
29	29♍02	11 34	15 17	27 39	22 10	27 20	12 12	16D 51			⚻			⚺	□	∠	☌
30	0♎51	12♍48	15♍55	27♎52	22♐13	27♈17	12♓11	16♑51	△	△		⚻	□	∠			

D M	Saturn Lat.	Saturn Dec.	Uranus Lat.	Uranus Dec.	Neptune Lat.	Neptune Dec.	Pluto Lat.	Pluto Dec.
	° ′	° ′	° ′	° ′	° ′	° ′	° ′	° ′
1	1N09	21S59	0S36	10N16	0S56	7S34	0N40	21S41
3	1 09	22 00	0 36	10 15	0 56	7 35	0 40	21 42
5	1 09	22 00	0 36	10 14	0 56	7 36	0 40	21 42
7	1 08	22 01	0 36	10 13	0 56	7 38	0 40	21 42
9	1 08	22 01	0 36	10 12	0 56	7 39	0 39	21 43
11	1 08	22 02	0 36	10 11	0 56	7 40	0 39	21 43
13	1 07	22 03	0 36	10 09	0 56	7 41	0 39	21 43
15	1 07	22 03	0 36	10 08	0 56	7 43	0 39	21 44
17	1 06	22 04	0 36	10 07	0 56	7 44	0 38	21 44
19	1 06	22 05	0 36	10 05	0 56	7 45	0 38	21 44
21	1 06	22 05	0 36	10 04	0 56	7 46	0 38	21 45
23	1 05	22 06	0 36	10 02	0 56	7 48	0 38	21 45
25	1 05	22 07	0 36	10 01	0 56	7 49	0 37	21 45
27	1 05	22 07	0 36	9 59	0 56	7 50	0 37	21 45
29	1 04	22 08	0 36	9 58	0 56	7 51	0 37	21 46
31	1N04	22S09	0S36	9N56	0S56	7S52	0N37	21S46

Mutual Aspects

1 ♀±♆. ♃∥♆.
2 ♂△♅. ☉#♃. ☉#♆.
3 ☿☌♂.
4 ♀Q♃. ☿∥♅.
5 ☉⚻♅. ☉☍♆. ♀▽♆. ☿Stat.
8 ☉⚺♀. ♂⚻♇.
9 ☉△♇. ♀▽♇.
10 ☉⊥♃. 11 ☿∥♂.
12 ☿⚻♇.
13 ♀△♄.
14 ☉□♄. ☉±♅. ♀±♇.
15 ♀⚹♃.
16 ☿☌♂. ☿∥♅. ♂∥♅.
17 ☿∥♂.
18 ☉⚺♃. ☿∠♃. ♀△♅.
19 ☿#♃.
20 ☉▽♅. ☿⚻♅. ☿☍♆. ♂#♃.
21 ♀⚻♇. ☿#♆.
22 ☿△♇. 23 ♂∠♃.
24 ☿⊥♃. ♂☍♆.
25 ☿□♄. ☿±♅. ♂⚻♅. ♀∥♅. ♂#♆.
26 ♀#♃. 27 ♃⚻♆.
28 ☿⚺♃. ☿▽♅. ♃☍♅. ♇Stat.
29 ☉#☿.
30 ♀∠♃. ♀⚻♅. ♀☍♆. ♀#♆.

LAST QUARTER–Sep.13,06h.25m. (20° ♊ 40′)

20					OCTOBER 2017				[RAPHAEL'S	
D	D	Sidereal	☉	☉	☽	☽	☽	☽	24h.	
M	W	Time	Long.	Dec.	Long.	Lat.	Dec.	Node	☽ Long.	☽ Dec.
		h m s	° ′ ″	° ′	° ′ ″	° ′	° ′	° ′	° ′ ″	° ′
1	Su	12 41 39	8 ♎ 30 04	3 S 22	16 ♒ 03 10	0 N40	15 S 23	21 ☊ 45	22 ♒ 19 57	13 S 58
2	M	12 45 36	9 29 04	3 45	28 41 48	0 S28	12 22	21 42	5 ♓ 09 02	10 36
3	T	12 49 32	10 28 06	4 09	11 ♓ 41 53	1 37	8 40	21 38	18 20 28	6 36
4	W	12 53 29	11 27 10	4 32	25 04 46	2 42	4 S 26	21 35	1 ♈ 54 39	2 S 11
5	Th	12 57 25	12 26 16	4 55	8 ♈ 49 50	3 40	0 N08	21 32	15 49 54	2 N28
6	F	13 01 22	13 25 24	5 18	22 54 20	4 25	4 48	21 29	0 ♉ 02 28	7 05
7	S	13 05 18	14 24 34	5 41	7 ♉ 13 35	4 55	9 16	21 26	14 26 54	11 21
8	Su	13 09 15	15 23 46	6 04	21 41 35	5 06	13 15	21 22	28 56 53	14 58
9	M	13 13 11	16 23 00	6 26	6 ♊ 12 00	4 58	16 27	21 19	13 ♊ 26 15	17 40
10	T	13 17 08	17 22 17	6 49	20 39 02	4 31	18 36	21 16	27 49 52	19 15
11	W	13 21 05	18 21 36	7 12	4 ♋ 58 20	3 47	19 34	21 13	12 ♋ 04 09	19 35
12	Th	13 25 01	19 20 58	7 34	19 07 08	2 49	19 17	21 10	26 07 10	18 41
13	F	13 28 58	20 20 22	7 57	3 ♌ 04 13	1 43	17 48	21 07	9 ♌ 58 17	16 40
14	S	13 32 54	21 19 48	8 19	16 49 25	0 S31	15 18	21 03	23 37 41	13 44
15	Su	13 36 51	22 19 16	8 41	0 ♍ 23 07	0 N42	11 59	21 00	7 ♍ 05 48	10 05
16	M	13 40 47	23 18 47	9 03	13 45 45	1 51	8 05	20 57	20 22 58	6 00
17	T	13 44 44	24 18 19	9 25	26 57 27	2 52	3 N51	20 54	3 ♎ 29 10	1 N40
18	W	13 48 40	25 17 54	9 47	9 ♎ 58 02	3 44	0 S30	20 51	16 24 01	2 S40
19	Th	13 52 37	26 17 31	10 09	22 47 02	4 24	4 46	20 48	29 07 02	6 49
20	F	13 56 34	27 17 10	10 30	5 ♏ 23 58	4 50	8 46	20 44	11 ♏ 37 51	10 36
21	S	14 00 30	28 16 52	10 52	17 48 42	5 01	12 19	20 41	23 56 36	13 53
22	Su	14 04 27	29 ♎ 16 35	11 13	0 ♐ 01 42	4 59	15 17	20 38	6 ♐ 04 11	16 31
23	M	14 08 23	0 ♏ 16 19	11 34	12 04 18	4 43	17 33	20 35	18 02 24	18 24
24	T	14 12 20	1 16 06	11 55	23 58 49	4 15	19 03	20 32	29 54 02	19 29
25	W	14 16 16	2 15 55	12 15	5 ♑ 48 32	3 36	19 43	20 28	11 ♑ 42 51	19 43
26	Th	14 20 13	3 15 45	12 36	17 37 34	2 48	19 30	20 25	23 33 19	19 04
27	F	14 24 09	4 15 37	12 56	29 30 46	1 52	18 25	20 22	5 ♒ 30 36	17 34
28	S	14 28 06	5 15 30	13 16	11 ♒ 33 28	0 N50	16 30	20 19	17 40 06	15 15
29	Su	14 32 03	6 15 25	13 36	23 51 08	0 S15	13 48	20 16	0 ♓ 07 13	12 10
30	M	14 35 59	7 15 22	13 56	6 ♓ 28 56	1 21	10 23	20 13	12 56 49	8 26
31	T	14 39 56	8 ♏ 15 21	14 S 15	19 ♓ 31 15	2 S24	6 S 22	20 ☊ 09	26 ♓ 12 34	4 S 10

D	Mercury			Venus			Mars			Jupiter	
M	Lat.	Dec.		Lat.	Dec.		Lat.	Dec.		Lat.	Dec.
	° ′	° ′	° ′	° ′	° ′	° ′	° ′	° ′	° ′	° ′	° ′
1	1 N41	0 N29	0 S 17	1 N 17	7 N28	7 N01	1 N 10	6 N23	6 N 08	1 N 02	9 S 49
3	1 34	1 S 03	1 50	1 20	6 33	6 06	1 10	5 54	5 39	1 02	9 58
5	1 25	2 36	3 22	1 22	5 38	5 10	1 10	5 24	5 09	1 02	10 07
7	1 14	4 08	4 54	1 25	4 42	4 13	1 10	4 54	4 39	1 02	10 16
9	1 03	5 39	6 24	1 27	3 45	3 16	1 10	4 24	4 09	1 02	10 26
11	0 51	7 09	7 52	1 28	2 47	2 19	1 10	3 54	3 39	1 02	10 35
13	0 38	8 36	9 19	1 30	1 50	1 21	1 10	3 24	3 09	1 02	10 44
15	0 25	10 01	10 43	1 31	0 N51	0 N22	1 10	2 54	2 38	1 01	10 53
17	0 N11	11 23	12 04	1 32	0 S07	0 S36	1 10	2 23	2 08	1 01	11 02
19	0 S02	12 43	13 22	1 32	1 05	1 35	1 09	1 53	1 38	1 01	11 11
21	0 16	14 00	14 38	1 32	2 04	2 33	1 09	1 23	1 08	1 01	11 20
23	0 30	15 14	15 50	1 32	3 03	3 32	1 09	0 52	0 37	1 01	11 29
25	0 43	16 25	17 00	1 32	4 01	4 30	1 09	0 N22	0 N 07	1 01	11 38
27	0 56	17 33	18 05	1 32	4 59	5 28	1 09	0 S08	0 S 23	1 01	11 47
29	1 09	18 37	19 S 07	1 31	5 57	6 S 26	1 09	0 38	0 S 54	1 01	11 56
31	1 S 22	19 S 37		1 N 30	6 S 54		1 N 08	1 S 09		1 N 01	12 S 05

FULL MOON–Oct. 5,18h.40m. (12°♈43′)

D M	☿ Long.	♀ Long.	♂ Long.	♃ Long.	♄ Long.	♅ Long.	♆ Long.	♇ Long.
	° ′	° ′	° ′	° ′	° ′	° ′	° ′	° ′
1	2♎40	14♍02	16♍33	28♎04	22♐16	27♈15	12♓10	16♑51
2	4 29	15 16	17 11	28 17	22 20	27R 13	12R 08	16 51
3	6 17	16 30	17 49	28 30	22 23	27 10	12 07	16 52
4	8 04	17 44	18 27	28 42	22 27	27 08	12 05	16 52
5	9 51	18 58	19 05	28 55	22 31	27 06	12 04	16 52
6	11 37	20 12	19 43	29 08	22 35	27 03	12 03	16 52
7	13 22	21 26	20 21	29 21	22 38	27 01	12 01	16 52
8	15 07	22 40	20 59	29 34	22 42	26 59	12 00	16 53
9	16 51	23 54	21 37	29 46	22 46	26 56	11 59	16 53
10	18 34	25 08	22 15	29♎59	22 51	26 54	11 57	16 53
11	20 17	26 23	22 53	0♏12	22 55	26 51	11 56	16 54
12	21 58	27 37	23 30	0 25	22 59	26 49	11 55	16 54
13	23 39	28♍51	24 08	0 38	23 03	26 47	11 54	16 54
14	25 20	0♎06	24 46	0 51	23 08	26 44	11 52	16 55
15	26 59	1 20	25 24	1 04	23 12	26 42	11 51	16 55
16	28♎38	2 35	26 02	1 17	23 17	26 39	11 50	16 56
17	0♏16	3 49	26 40	1 30	23 22	26 37	11 49	16 56
18	1 54	5 04	27 18	1 43	23 26	26 34	11 48	16 57
19	3 31	6 18	27 56	1 56	23 31	26 32	11 47	16 58
20	5 07	7 33	28 34	2 09	23 36	26 30	11 46	16 58
21	6 43	8 48	29 12	2 22	23 41	26 27	11 45	16 59
22	8 18	10 02	29♍50	2 35	23 46	26 25	11 44	17 00
23	9 52	11 17	0♎28	2 48	23 51	26 22	11 43	17 00
24	11 26	12 32	1 06	3 02	23 56	26 20	11 42	17 01
25	13 00	13 47	1 43	3 15	24 01	26 17	11 41	17 02
26	14 33	15 01	2 21	3 28	24 07	26 15	11 40	17 03
27	16 05	16 16	2 59	3 41	24 12	26 12	11 39	17 04
28	17 37	17 31	3 37	3 54	24 17	26 10	11 38	17 04
29	19 08	18 46	4 15	4 07	24 23	26 08	11 38	17 05
30	20 39	20 01	4 53	4 20	24 28	26 05	11 37	17 06
31	22♏09	21♎16	5♎31	4♏33	24♐34	26♈03	11♓36	17♑07

Lunar Aspects

D	☉	☿	♀	♂	♃	♄	♅	♆	♇
1		⚼				✱		⚺	⚺
2	⚼				△		✱		∠
3			☍	☍	⚼		∠	☌	✱
4						□	⚺		
5	☍	☍						⚺	
6					☍	△	☌	∠	□
7			⚼	⚼		⚼		✱	
8			△	△			⚺		△
9	⚼	⚼					∠	□	⚼
10	△	△	□	□	⚼	☍	✱		
11					△			△	
12	□	□		✱					☍
13			✱	∠	□	⚼	□	⚼	
14	✱		∠			△			
15		✱	⚺	⚺	✱		△		⚼
16	∠	∠			∠		⚼	☍	△
17	⚺	⚺		☌	⚺	□			
18			☌						
19	☌			⚺		✱	☍	⚼	□
20		☌	⚺		☌	∠			
21				∠		⚺		△	✱
22	⚺		∠	✱	⚺				∠
23	∠	⚺	✱		∠		⚼	□	⚺
24		∠				☌	△		
25	✱			□	✱			✱	
26		✱	□						☌
27	□			△	□	⚺	□	∠	
28						∠		⚺	⚺
29		□	△	⚼		✱	✱		
30	△		⚼		△		∠	☌	∠
31	⚼	△			⚼	□	⚺		✱

D M	Saturn Lat.	Saturn Dec.	Uranus Lat.	Uranus Dec.	Neptune Lat.	Neptune Dec.	Pluto Lat.	Pluto Dec.
	° ′	° ′	° ′	° ′	° ′	° ′	° ′	° ′
1	1N04	22S09	0S36	9N56	0S56	7S52	0N37	21S46
3	1 04	22 09	0 36	9 54	0 56	7 53	0 37	21 46
5	1 03	22 10	0 36	9 53	0 56	7 54	0 36	21 46
7	1 03	22 11	0 36	9 51	0 56	7 55	0 36	21 46
9	1 03	22 12	0 36	9 49	0 56	7 56	0 36	21 47
11	1 02	22 12	0 36	9 47	0 56	7 57	0 36	21 47
13	1 02	22 13	0 36	9 46	0 56	7 58	0 35	21 47
15	1 02	22 14	0 36	9 44	0 56	7 59	0 35	21 47
17	1 01	22 15	0 36	9 42	0 56	8 00	0 35	21 47
19	1 01	22 15	0 36	9 40	0 56	8 01	0 35	21 47
21	1 01	22 16	0 36	9 39	0 56	8 01	0 35	21 47
23	1 01	22 17	0 36	9 37	0 56	8 02	0 34	21 47
25	1 00	22 18	0 36	9 35	0 56	8 03	0 34	21 47
27	1 00	22 19	0 36	9 33	0 56	8 03	0 34	21 47
29	1 00	22 19	0 36	9 32	0 56	8 04	0 34	21 47
31	0N59	22S20	0S36	9N30	0S56	8S04	0N33	21S47

Mutual Aspects

1 ♂△♇.　　2 ♃∥♅.
3 ☉Q♄. ♀△♇.
5 ☉▽♆. ☿Q♄. ♀☌♂.
6 ☿▽♆. ☉∥♀. ☉∥♂. ♀∥♂.
7 ♀±♅. ♅∠♆. ☿∥♀.
8 ☉☌☿. ♀□♄. ♂±♅. ☿∥♂.
9 ☿□♇. ♀⊥♃.
10 ☉□♇. ☿±♆.
11 ☉±♆. ♀▽♅. ♂□♄. ☉∥☿.
12 ☿∥♆.
13 ☿⚺♂. ☿✱♄. ☉∥♆.
14 ♂⊥♃.
15 ☿☍♅. ☿⚼♆. ♀⚺♃. ☿∥♅.
16 ☉✱♄. ☿∥♃.
17 ♂▽♅.
18 ☿☌♃. ☉∥♅.
19 ☉☍♅. ☉⚼♆. ☿⊥♂.
20 ☿Q♇. ♀∥♂.
22 ☿∠♄.
23 ♀Q♄. ♀▽♆. ☉∥♃.
24 ☉⚺♂. ☿△♆.
26 ☉☌♃.
28 ☉Q♇. ☿⚺♀. ☿⊥♄. ☿✱♇. ♀±♆.
♀□♇.
29 ☿∠♂. ♂⚺♃.

LAST QUARTER–Oct.12,12h.25m. (19°♋22′)

NEW MOON–Nov.18,11h.42m. (26° ♏ 19′)

D M	D W	Sidereal Time	☉ Long.	☉ Dec.	☽ Long.	☽ Lat.	☽ Dec.	☽ Node	24h. ☽ Long.	24h. ☽ Dec.
		h m s	° ′ ″	° ′	° ′ ″	° ′	° ′	° ′	° ′ ″	° ′
1	W	14 43 52	9 ♏ 15 21	14 S 35	3 ♈ 00 53	3 S 22	1 S 54	20 ☊ 06	9 ♈ 56 13	0 N26
2	Th	14 47 49	10 15 22	14 54	16 58 20	4 10	2 N49	20 03	24 06 51	5 11
3	F	14 51 45	11 15 26	15 12	1 ♉ 21 11	4 44	7 30	20 00	8 ♉ 40 32	9 45
4	S	14 55 42	12 15 31	15 31	16 03 57	5 00	11 51	19 57	23 30 21	13 48
5	Su	14 59 38	13 15 38	15 49	0 ♊ 58 34	4 55	15 32	19 54	8 ♊ 27 25	17 01
6	M	15 03 35	14 15 48	16 07	15 55 44	4 31	18 12	19 50	23 22 24	19 05
7	T	15 07 32	15 15 59	16 25	0 ♋ 46 28	3 48	19 38	19 47	8 ♋ 07 06	19 50
8	W	15 11 28	16 16 12	16 42	15 23 40	2 51	19 43	19 44	22 35 41	19 16
9	Th	15 15 25	17 16 27	16 59	29 42 51	1 44	18 31	19 41	6 ♌ 45 02	17 29
10	F	15 19 21	18 16 44	17 16	13 ♌ 42 12	0 S 32	16 12	19 38	20 34 28	14 42
11	S	15 23 18	19 17 03	17 33	27 22 01	0 N40	13 00	19 34	4 ♍ 05 04	11 10
12	Su	15 27 14	20 17 25	17 49	10 ♍ 43 55	1 48	9 12	19 31	17 18 51	7 09
13	M	15 31 11	21 17 48	18 05	23 50 09	2 49	5 02	19 28	0 ♎ 18 05	2 N53
14	T	15 35 07	22 18 13	18 21	6 ♎ 42 54	3 41	0 N43	19 25	13 04 48	1 S27
15	W	15 39 04	23 18 39	18 36	19 23 59	4 20	3 S35	19 22	25 40 36	5 39
16	Th	15 43 01	24 19 08	18 51	1 ♏ 54 45	4 46	7 39	19 19	8 ♏ 06 32	9 34
17	F	15 46 57	25 19 38	19 05	14 16 02	4 59	11 22	19 15	20 23 19	13 01
18	S	15 50 54	26 20 10	19 20	26 28 28	4 57	14 33	19 12	2 ♐ 31 33	15 54
19	Su	15 54 50	27 20 44	19 34	8 ♐ 32 41	4 42	17 05	19 09	14 31 59	18 04
20	M	15 58 47	28 21 19	19 47	20 29 38	4 15	18 51	19 06	26 25 52	19 26
21	T	16 02 43	29 ♏ 21 55	20 01	2 ♑ 20 55	3 37	19 48	19 03	8 ♑ 15 06	19 57
22	W	16 06 40	0 ♐ 22 33	20 14	14 08 48	2 49	19 53	19 00	20 02 26	19 36
23	Th	16 10 36	1 23 12	20 26	25 56 29	1 54	19 05	18 56	1 ♒ 51 27	18 22
24	F	16 14 33	2 23 52	20 38	7 ♒ 47 55	0 N54	17 27	18 53	13 46 29	16 20
25	S	16 18 30	3 24 33	20 50	19 47 50	0 S10	15 02	18 50	25 52 35	13 33
26	Su	16 22 26	4 25 15	21 01	2 ♓ 01 27	1 14	11 54	18 47	8 ♓ 15 06	10 06
27	M	16 26 23	5 25 59	21 12	14 34 12	2 16	8 10	18 44	20 59 22	6 07
28	T	16 30 19	6 26 43	21 23	27 31 09	3 14	3 S57	18 40	4 ♈ 10 02	1 S42
29	W	16 34 16	7 27 28	21 33	10 ♈ 56 21	4 03	0 N36	18 37	17 50 19	2 N57
30	Th	16 38 12	8 ♐ 28 14	21 S 43	24 ♈ 51 56	4 S 39	5 N17	18 ☊ 34	2 ♉ 01 01	7 N36

D M	Mercury Lat.	Mercury Dec.	Mercury Dec.	Venus Lat.	Venus Dec.	Venus Dec.	Mars Lat.	Mars Dec.	Mars Dec.	Jupiter Lat.	Jupiter Dec.
	° ′	° ′	° ′	° ′	° ′	° ′	° ′	° ′	° ′	° ′	° ′
1	1 S 28	20 S 06	20 S 34	1 N 29	7 S 23	7 S 51	1 N 08	1 S 24	1 S 39	1 N 01	12 S 09
3	1 39	21 00	21 26	1 27	8 19	8 47	1 08	1 54	2 09	1 01	12 18
5	1 50	21 51	22 14	1 26	9 15	9 43	1 08	2 24	2 39	1 01	12 27
7	2 00	22 37	22 58	1 24	10 10	10 37	1 07	2 54	3 09	1 01	12 35
9	2 09	23 18	23 37	1 21	11 04	11 31	1 07	3 24	3 39	1 01	12 44
11	2 17	23 55	24 11	1 19	11 57	12 24	1 07	3 54	4 08	1 01	12 52
13	2 24	24 27	24 41	1 16	12 49	13 15	1 07	4 23	4 38	1 01	13 01
15	2 29	24 53	25 05	1 13	13 40	14 05	1 06	4 53	5 08	1 01	13 09
17	2 33	25 15	25 24	1 10	14 29	14 54	1 06	5 22	5 37	1 01	13 17
19	2 34	25 31	25 37	1 07	15 17	15 41	1 06	5 51	6 06	1 01	13 26
21	2 34	25 41	25 44	1 03	16 04	16 26	1 05	6 21	6 35	1 01	13 34
23	2 30	25 46	25 46	1 00	16 48	17 10	1 05	6 49	7 04	1 01	13 42
25	2 23	25 44	25 41	0 56	17 31	17 52	1 04	7 18	7 32	1 01	13 50
27	2 13	25 37	25 31	0 52	18 12	18 32	1 04	7 47	8 01	1 01	13 57
29	1 58	25 24	25 S 15	0 48	18 51	19 S 10	1 04	8 15	8 S 29	1 01	14 05
31	1 S 38	25 S 04		0 N 43	19 S 28		1 N 03	8 S 43		1 N 01	14 S 13

FIRST QUARTER–Nov.26,17h.03m. (4° ♓ 38′)

FULL MOON – Nov. 4,05h.23m. (11°♉59′)

D M	☿ Long.	♀ Long.	♂ Long.	♃ Long.	♄ Long.	♅ Long.	♆ Long.	♇ Long.	Lunar Aspects ☉	☿	♀	♂	♃	♄	♅	♆	♇
	° ′	° ′	° ′	° ′	° ′	° ′	° ′	° ′									
1	23♏39	22♎31	6♎09	4♏46	24♐39	26♈00	11♓35	17♑08		⚼		☍					
2	25 09	23 46	6 46	4 59	24 45	25R 58	11R 35	17 09								⊻	□
3	26 37	25 01	7 24	5 12	24 51	25 56	11 34	17 10			☍		☍	△	☌	∠	
4	28 06	26 16	8 02	5 26	24 57	25 53	11 33	17 11	☍			⚼		⚼		✱	△
5	29♏33	27 31	8 40	5 39	25 02	25 51	11 33	17 12		☍					⊻		⚼
6	1♐01	28♎46	9 18	5 52	25 08	25 49	11 32	17 13			⚼	△	⚼		∠	□	
7	2 27	0♏01	9 56	6 05	25 14	25 47	11 32	17 15	⚼		△		△	☍	✱		
8	3 53	1 16	10 34	6 18	25 20	25 44	11 31	17 16	△	⚼		□				△	☍
9	5 19	2 31	11 11	6 31	25 26	25 42	11 31	17 17		△	□		□		□	⚼	
10	6 43	3 47	11 49	6 44	25 32	25 40	11 30	17 18	□			✱		⚼			
11	8 07	5 02	12 27	6 57	25 38	25 38	11 30	17 19				∠		△	△		⚼
12	9 30	6 17	13 05	7 10	25 45	25 35	11 30	17 21		□	✱	⊻	✱		⚼	☍	
13	10 53	7 32	13 43	7 23	25 51	25 33	11 29	17 22	✱		∠		∠	□			△
14	12 14	8 47	14 21	7 35	25 57	25 31	11 29	17 23	∠	✱	⊻		⊻				
15	13 34	10 03	14 59	7 48	26 03	25 29	11 29	17 25	⊻			☌			☍		□
16	14 53	11 18	15 36	8 01	26 10	25 27	11 29	17 26		∠				✱		⚼	
17	16 10	12 33	16 14	8 14	26 16	25 25	11 28	17 27		⊻	☌	⊻	☌	∠		△	✱
18	17 26	13 49	16 52	8 27	26 23	25 23	11 28	17 29	☌			∠		⊻			∠
19	18 40	15 04	17 30	8 40	26 29	25 21	11 28	17 30					⊻		⚼	□	
20	19 53	16 19	18 08	8 52	26 36	25 19	11 28	17 32		☌	⊻	✱	∠		△		⊻
21	21 02	17 35	18 45	9 05	26 42	25 17	11 28	17 33	⊻		∠			☌			
22	22 10	18 50	19 23	9 18	26 49	25 15	11 28	17 35	∠		✱	□	✱			✱	☌
23	23 14	20 05	20 01	9 30	26 55	25 13	11D 28	17 36		⊻				⊻	□	∠	
24	24 15	21 21	20 39	9 43	27 02	25 12	11 28	17 38	✱	∠			□	∠		⊻	
25	25 12	22 36	21 17	9 56	27 09	25 10	11 28	17 39		✱	□	△			✱		⊻
26	26 05	23 52	21 54	10 08	27 15	25 08	11 28	17 41	□			⚼		✱			∠
27	26 53	25 07	22 32	10 21	27 22	25 06	11 28	17 42					△		∠	☌	✱
28	27 36	26 22	23 10	10 33	27 29	25 05	11 29	17 44		□	△		⚼	□	⊻		
29	28 12	27 38	23 48	10 46	27 35	25 03	11 29	17 46	△		⚼					⊻	□
30	28♐41	28♏53	24♎25	10♏58	27♐42	25♈01	11♓29	17♑47	⚼	△		☍		△	☌	∠	

D M	Saturn Lat.	Saturn Dec.	Uranus Lat.	Uranus Dec.	Neptune Lat.	Neptune Dec.	Pluto Lat.	Pluto Dec.
	° ′	° ′	° ′	° ′	° ′	° ′	° ′	° ′
1	0N59	22S20	0S36	9N29	0S56	8S05	0N33	21S47
3	0 59	22 21	0 36	9 28	0 56	8 05	0 33	21 47
5	0 59	22 22	0 36	9 26	0 56	8 06	0 33	21 47
7	0 59	22 22	0 36	9 24	0 56	8 06	0 33	21 47
9	0 58	22 23	0 36	9 23	0 56	8 06	0 32	21 47
11	0 58	22 24	0 36	9 21	0 56	8 07	0 32	21 47
13	0 58	22 24	0 36	9 20	0 56	8 07	0 32	21 47
15	0 58	22 25	0 36	9 18	0 56	8 07	0 32	21 47
17	0 57	22 26	0 36	9 17	0 56	8 07	0 32	21 46
19	0 57	22 26	0 36	9 15	0 56	8 07	0 31	21 46
21	0 57	22 27	0 35	9 14	0 56	8 07	0 31	21 46
23	0 57	22 27	0 35	9 12	0 56	8 07	0 31	21 46
25	0 57	22 28	0 35	9 11	0 56	8 07	0 31	21 46
27	0 56	22 28	0 35	9 10	0 55	8 07	0 31	21 46
29	0 56	22 29	0 35	9 09	0 55	8 07	0 30	21 45
31	0N56	22S29	0S35	9N08	0S55	8S06	0N30	21S45

Mutual Aspects

1 ☉∠♄.
2 ☿⊻♄. ♀∥♆.
3 ☉△♆. ☿∇♅. ♀✱♄. ♃Q♇.
4 ♀☍♅. ♀⚼♆.
5 ☿∥♇. ♀⋕♅.
6 ☿∥♄.
7 ☿±♅. ☿∠♇.
9 ☉⊥♂. ☉✱♇.
10 ☿⊻♃. ♂∇♆.
11 ☉⊥♄. ♀Q♇. ♄△♅.
13 ☿⚼♅. ☿□♆. ☿⊥♇. ♀☌♃. ♂Q♄.
14 ♀∥♃. 15 ☿⊥♃.
16 ♀∠♄. ♀△♆.
17 ☉∇♅. ☿✱♂.
18 ☉⊻♄. ☿⊻♇.
19 ♂±♆. ♂□♇.
21 ♀✱♇. 22 ♆Stat.
23 ☉±♅. ♀⊻♂.
24 ☉∠♇. ♀⊥♄.
25 ☿∠♃. ☿△♅.
27 ♀∇♅.
28 ☿☌♄. ♂∥♆.
29 ♀⊻♄.
30 ☿⊻♀. ☉∥♇.

LAST QUARTER – Nov.10,20h.36m. (18°♌38′)

NEW MOON – Dec.18,06h.30m. (26° ♐ 31′)

D M	D W	Sidereal Time	☉ Long.	☉ Dec.	☽ Long.	☽ Lat.	☽ Dec.	☽ Node	24h. ☽ Long.	24h. ☽ Dec.
		h m s	° ′ ″	° ′	° ′ ″	° ′	° ′	° ′	° ′ ″	° ′
1	F	16 42 09	9 ♐ 29 02	21 S 52	9 ♉ 17 10	5 S 00	9 N51	18 ☊ 31	16 ♉ 39 43	11 N58
2	S	16 46 05	10 29 50	22 01	24 07 49	5 01	13 56	18 28	1 ♊ 40 22	15 42
3	Su	16 50 02	11 30 39	22 10	9 ♊ 16 08	4 41	17 12	18 25	16 53 45	18 25
4	M	16 53 59	12 31 30	22 18	24 31 48	4 01	19 18	18 21	2 ♋ 08 55	19 50
5	T	16 57 55	13 32 22	22 25	9 ♋ 43 46	3 04	20 01	18 18	17 15 10	19 49
6	W	17 01 52	14 33 15	22 32	24 42 07	1 55	19 17	18 15	2 ♌ 03 50	18 26
7	Th	17 05 48	15 34 09	22 39	9 ♌ 19 44	0 S 40	17 16	18 12	16 29 25	15 52
8	F	17 09 45	16 35 04	22 46	23 32 43	0 N36	14 14	18 09	0 ♍ 29 36	12 25
9	S	17 13 41	17 36 01	22 51	7 ♍ 20 12	1 47	10 28	18 05	14 04 45	8 25
10	Su	17 17 38	18 36 59	22 57	20 43 34	2 51	6 18	18 02	27 17 03	4 N07
11	M	17 21 34	19 37 58	23 02	3 ♎ 45 35	3 44	1 N56	17 59	10 ♎ 09 37	0 S15
12	T	17 25 31	20 38 58	23 06	16 29 34	4 24	2 S25	17 56	22 45 51	4 31
13	W	17 29 28	21 39 59	23 10	28 58 51	4 51	6 34	17 53	5 ♏ 08 58	8 32
14	Th	17 33 24	22 41 01	23 14	11 ♏ 16 29	5 04	10 23	17 50	17 21 44	12 07
15	F	17 37 21	23 42 04	23 17	23 24 57	5 03	13 43	17 46	29 26 25	15 11
16	S	17 41 17	24 43 08	23 20	5 ♐ 26 18	4 49	16 28	17 43	11 ♐ 24 49	17 34
17	Su	17 45 14	25 44 13	23 22	17 22 09	4 22	18 29	17 40	23 18 28	19 12
18	M	17 49 10	26 45 18	23 24	29 13 58	3 44	19 42	17 37	5 ♑ 08 49	20 00
19	T	17 53 07	27 46 24	23 25	11 ♑ 03 14	2 56	20 03	17 34	16 57 27	19 54
20	W	17 57 03	28 47 31	23 26	22 51 45	2 00	19 31	17 31	28 46 24	18 56
21	Th	18 01 00	29 ♐ 48 38	23 26	4 ♒ 41 45	0 N59	18 08	17 27	10 ♒ 38 10	17 08
22	F	18 04 57	0 ♑ 49 45	23 26	16 36 05	0 S 05	15 56	17 24	22 35 56	14 34
23	S	18 08 53	1 50 53	23 25	28 38 15	1 10	13 02	17 21	4 ♓ 43 31	11 21
24	Su	18 12 50	2 52 00	23 24	10 ♓ 52 20	2 13	9 32	17 18	17 05 14	7 36
25	M	18 16 46	3 53 08	23 23	23 22 50	3 11	5 33	17 15	29 45 40	3 S25
26	T	18 20 43	4 54 16	23 21	6 ♈ 14 19	4 01	1 S12	17 11	12 ♈ 49 15	1 N03
27	W	18 24 39	5 55 24	23 18	19 30 54	4 40	3 N19	17 08	26 19 35	5 35
28	Th	18 28 36	6 56 31	23 15	3 ♉ 15 30	5 04	7 50	17 05	10 ♉ 18 41	10 00
29	F	18 32 32	7 57 39	23 12	17 29 00	5 11	12 04	17 02	24 46 06	13 59
30	S	18 36 29	8 58 47	23 08	2 ♊ 09 25	4 58	15 43	16 59	9 ♊ 38 12	17 12
31	Su	18 40 26	9 ♑ 59 55	23 S 03	17 ♊ 11 26	4 S 25	18 N25	16 ☊ 56	24 ♊ 47 59	19 N19

D M	Mercury Lat.	Mercury Dec.	Mercury Dec.	Venus Lat.	Venus Dec.	Venus Dec.	Mars Lat.	Mars Dec.	Mars Dec.	Jupiter Lat.	Jupiter Dec.
	° ′	° ′	° ′	° ′	° ′	° ′	° ′	° ′	° ′	° ′	° ′
1	1 S 38	25 S 04	24 S 53	0 N 43	19 S 28	19 S 46	1 N 03	8 S 43	8 S 57	1 N 01	14 S 13
3	1 13	24 39	24 24	0 39	20 03	20 20	1 03	9 11	9 25	1 01	14 20
5	0 42	24 08	23 50	0 34	20 36	20 51	1 02	9 38	9 52	1 01	14 27
7	0 S 06	23 31	23 11	0 30	21 06	21 20	1 02	10 06	10 19	1 01	14 35
9	0 N 33	22 49	22 26	0 25	21 34	21 47	1 01	10 33	10 46	1 01	14 42
11	1 14	22 03	21 39	0 20	21 59	22 11	1 01	10 59	11 13	1 01	14 49
13	1 51	21 16	20 54	0 16	22 22	22 32	1 00	11 26	11 39	1 02	14 56
15	2 21	20 33	20 14	0 11	22 41	22 50	0 59	11 52	12 05	1 02	15 02
17	2 43	19 58	19 46	0 06	22 59	23 06	0 59	12 18	12 30	1 02	15 09
19	2 55	19 36	19 29	0 N 01	23 13	23 19	0 58	12 43	12 56	1 02	15 16
21	2 58	19 26	19 25	0 S 04	23 25	23 29	0 58	13 08	13 21	1 02	15 22
23	2 55	19 28	19 32	0 08	23 33	23 37	0 57	13 33	13 45	1 02	15 28
25	2 47	19 39	19 48	0 13	23 39	23 41	0 56	13 57	14 09	1 02	15 34
27	2 35	19 58	20 09	0 18	23 42	23 42	0 56	14 21	14 33	1 03	15 40
29	2 20	20 21	20 S 34	0 23	23 42	23 S 41	0 55	14 45	14 S 56	1 03	15 46
31	2 N 04	20 S 47		0 S 27	23 S 39		0 N 54	15 S 08		1 N 03	15 S 52

FIRST QUARTER – Dec.26,09h.20m. (4° ♈ 47′)

D M	☿ Long.	♀ Long.	♂ Long.	♃ Long.	♄ Long.	♅ Long.	♆ Long.	♇ Long.
	° ′	° ′	° ′	° ′	° ′	° ′	° ′	° ′
1	29♐02	0♐09	25♎03	11♏10	27♐49	25♈00	11♓29	17♑49
2	29 15	1 24	25 41	11 23	27 56	24R 58	11 30	17 51
3	29R 18	2 40	26 19	11 35	28 03	24 57	11 30	17 52
4	29 11	3 55	26 56	11 47	28 10	24 56	11 30	17 54
5	28 53	5 10	27 34	11 59	28 17	24 54	11 31	17 56
6	28 24	6 26	28 12	12 11	28 24	24 53	11 31	17 58
7	27 43	7 41	28 49	12 23	28 31	24 51	11 32	17 59
8	26 52	8 57	29♎27	12 35	28 38	24 50	11 32	18 01
9	25 50	10 12	0♏05	12 47	28 45	24 49	11 33	18 03
10	24 40	11 28	0 42	12 59	28 52	24 48	11 33	18 05
11	23 23	12 43	1 20	13 11	28 59	24 47	11 34	18 07
12	22 02	13 59	1 58	13 22	29 06	24 46	11 35	18 09
13	20 39	15 14	2 35	13 34	29 13	24 45	11 35	18 10
14	19 17	16 30	3 13	13 46	29 20	24 44	11 36	18 12
15	17 59	17 45	3 51	13 57	29 27	24 43	11 37	18 14
16	16 47	19 01	4 28	14 09	29 34	24 42	11 38	18 16
17	15 44	20 16	5 06	14 20	29 41	24 41	11 39	18 18
18	14 50	21 32	5 44	14 31	29 48	24 40	11 39	18 20
19	14 06	22 48	6 21	14 43	29♐55	24 39	11 40	18 22
20	13 34	24 03	6 59	14 54	0♑02	24 39	11 41	18 24
21	13 13	25 19	7 36	15 05	0 09	24 38	11 42	18 26
22	13 02	26 34	8 14	15 16	0 16	24 37	11 43	18 28
23	13D 01	27 50	8 51	15 27	0 23	24 37	11 44	18 30
24	13 10	29♐05	9 29	15 38	0 30	24 36	11 45	18 32
25	13 27	0♑21	10 07	15 48	0 38	24 36	11 46	18 34
26	13 52	1 36	10 44	15 59	0 45	24 36	11 48	18 36
27	14 24	2 52	11 22	16 10	0 52	24 35	11 49	18 38
28	15 02	4 07	11 59	16 20	0 59	24 35	11 50	18 40
29	15 46	5 23	12 36	16 31	1 06	24 35	11 51	18 42
30	16 35	6 38	13 14	16 41	1 13	24 34	11 52	18 44
31	17♐29	7♑54	13♏51	16♏51	1♑20	24♈34	11♓54	18♑46

Lunar Aspects

D	☉	☿	♀	♂	♃	♄	♅	♆	♇
1		⚼			☍	⚼		⚹	
2							⚺		△
3	☍		☍	⚼			∠	□	⚼
4		☍		△	⚼	☍	⚹		
5					△			△	
6	⚼		⚼	□			□	⚼	☍
7	△	⚼	△		□	⚼			
8		△		⚹		△	△		
9			□		⚹		⚼	☍	⚼
10	□	□		∠					△
11				⚺	∠	□			
12	⚹	⚹	⚹		⚺				□
13		∠	∠	☌		⚹	☍	⚼	
14	∠		⚺		☌	∠		△	
15	⚺	⚺							⚹
16				⚺		⚺	⚼		∠
17		☌	☌	∠	⚺			□	⚺
18	☌				∠	☌	△		
19		⚺		⚹	⚹			⚹	
20		∠	⚺				□	∠	☌
21	⚺			□		⚺			
22	∠	⚹	∠		□	∠		⚺	⚺
23	⚹		⚹			⚹	⚹		∠
24		□		△	△		∠	☌	
25				⚼			⚺		⚹
26	□		□		⚼	□		⚺	
27		△					☌		□
28	△	⚼	△			△		∠	
29	⚼		⚼	☍	☍	⚼	⚺	⚹	△
30							∠		⚼
31		☍					⚹	□	

D M	Saturn Lat.	Saturn Dec.	Uranus Lat.	Uranus Dec.	Neptune Lat.	Neptune Dec.	Pluto Lat.	Pluto Dec.
	° ′	° ′	° ′	° ′	° ′	° ′	° ′	° ′
1	0N56	22S29	0S35	9N08	0S55	8S06	0N30	21S45
3	0 56	22 29	0 35	9 07	0 55	8 06	0 30	21 45
5	0 56	22 30	0 35	9 06	0 55	8 06	0 30	21 45
7	0 55	22 30	0 35	9 05	0 55	8 05	0 30	21 44
9	0 55	22 30	0 35	9 04	0 55	8 05	0 29	21 44
11	0 55	22 31	0 35	9 03	0 55	8 04	0 29	21 44
13	0 55	22 31	0 35	9 03	0 55	8 04	0 29	21 43
15	0 55	22 31	0 35	9 02	0 55	8 03	0 29	21 43
17	0 55	22 31	0 35	9 01	0 55	8 03	0 29	21 43
19	0 55	22 32	0 35	9 01	0 55	8 02	0 28	21 42
21	0 54	22 32	0 35	9 00	0 55	8 01	0 28	21 42
23	0 54	22 32	0 35	9 00	0 55	8 00	0 28	21 42
25	0 54	22 32	0 34	9 00	0 55	7 59	0 28	21 41
27	0 54	22 32	0 34	9 00	0 55	7 59	0 28	21 41
29	0 54	22 32	0 34	8 59	0 55	7 58	0 27	21 41
31	0N54	22S32	0S34	8N59	0S55	7S57	0N27	21S40

Mutual Aspects

1 ☉⚼♅. ♂☍♅.
2 ☉∠♂. ♀⊥♂. ♀±♅.
3 ☉⚺♃. ☉□♆. ☉⊥♇. ♀∠♇. ♂⚼♆.
♃△♆. ♂#♅. ☿Stat.
6 ☿⚹♂. ☿☌♄. ♂⚹♄. ☉‖♄.
7 ☿∠♃.
9 ☉⚺♇. ♀⚼♅. ☉‖☿.
10 ☉⊥♃. ☿△♅. ♀□♆. ☿‖♄. ♀‖♇.
11 ♀⚺♃. ♀⊥♇. ☿‖♀.
12 ☿‖♇. 13 ☉☌☿.
14 ☿⊥♃. ♀‖♄.
15 ☿☌♀. ☿∠♂. ☿⚺♇. ♀⚺♇.
16 ☉△♅.
17 ♀∠♂. ♀⊥♃. ♄Q♆.
18 ☿⚺♃. 19 ♂Q♇.
20 ♀△♅.
21 ☉∠♃. ☉☌♄. ☉Q♆. ☿⊥♂. ☉‖♀.
22 ♃∠♄. 23 ☿Stat.
25 ♀∠♃. ♀☌♄. ♀Q♆.
28 ♂△♆. 30 ☿⚺♃.

JANUARY

D	☉ ° ′ ″	☽ ° ′ ″	☽Dec. ° ′	☿ ° ′	♀ ° ′	♂ ′
1	1 01 10	12 53 29	3 12	1 06	1 05	45
2	1 01 10	13 06 20	3 47	0 58	1 05	45
3	1 01 10	13 21 03	4 12	0 48	1 04	45
4	1 01 10	13 37 35	4 25	0 38	1 04	45
5	1 01 09	13 55 26	4 25	0 28	1 04	45
6	1 01 09	14 13 24	4 10	0 18	1 03	45
7	1 01 08	14 29 40	3 39	0 08	1 03	45
8	1 01 08	14 41 58	2 50	0 01	1 03	45
9	1 01 08	14 48 05	1 45	0 09	1 02	45
10	1 01 07	14 46 27	0 31	0 17	1 02	45
11	1 01 07	14 36 39	0 46	0 24	1 02	45
12	1 01 06	14 19 36	1 55	0 31	1 01	45
13	1 01 06	13 57 18	2 51	0 36	1 01	45
14	1 01 06	13 32 16	3 30	0 42	1 00	45
15	1 01 05	13 07 02	3 53	0 46	1 00	45
16	1 01 05	12 43 43	4 02	0 51	0 59	45
17	1 01 05	12 23 51	4 01	0 54	0 59	45
18	1 01 05	12 08 25	3 51	0 58	0 58	45
19	1 01 04	11 57 53	3 33	1 01	0 58	45
20	1 01 04	11 52 21	3 08	1 04	0 57	45
21	1 01 04	11 51 33	2 38	1 06	0 57	45
22	1 01 03	11 55 03	2 00	1 08	0 56	45
23	1 01 03	12 02 11	1 16	1 10	0 56	45
24	1 01 02	12 12 09	0 26	1 12	0 55	45
25	1 01 01	12 24 07	0 27	1 14	0 54	45
26	1 01 01	12 37 13	1 22	1 16	0 54	45
27	1 01 00	12 50 41	2 15	1 17	0 53	45
28	1 00 59	13 03 56	3 03	1 19	0 52	45
29	1 00 58	13 16 35	3 41	1 20	0 52	45
30	1 00 57	13 28 30	4 09	1 21	0 51	45
31	1 00 56	13 39 39	4 24	1 22	0 50	45

FEBRUARY

D	☉ ° ′ ″	☽ ° ′ ″	☽Dec. ° ′	☿ ° ′	♀ ° ′	♂ ′
1	1 00 54	13 50 02	4 25	1 23	0 49	45
2	1 00 53	13 59 34	4 12	1 24	0 48	45
3	1 00 52	14 07 57	3 44	1 25	0 47	45
4	1 00 50	14 14 35	3 00	1 26	0 47	45
5	1 00 49	14 18 42	2 03	1 27	0 46	45
6	1 00 47	14 19 24	0 56	1 28	0 45	45
7	1 00 46	14 15 59	0 16	1 29	0 43	45
8	1 00 44	14 08 04	1 26	1 30	0 42	44
9	1 00 43	13 55 49	2 26	1 31	0 41	44
10	1 00 41	13 39 56	3 14	1 32	0 40	44
11	1 00 40	13 21 34	3 45	1 32	0 39	44
12	1 00 39	13 02 07	4 02	1 33	0 37	44
13	1 00 37	12 43 04	4 06	1 34	0 36	44
14	1 00 36	12 25 46	3 59	1 35	0 35	44
15	1 00 35	12 11 21	3 43	1 36	0 33	44
16	1 00 34	12 00 40	3 20	1 37	0 32	44
17	1 00 32	11 54 20	2 50	1 38	0 30	44
18	1 00 31	11 52 38	2 14	1 38	0 29	44
19	1 00 30	11 55 40	1 32	1 39	0 27	44
20	1 00 29	12 03 14	0 45	1 40	0 25	44
21	1 00 27	12 14 54	0 07	1 41	0 23	44
22	1 00 26	12 29 58	1 02	1 42	0 22	44
23	1 00 24	12 47 28	1 56	1 43	0 20	44
24	1 00 23	13 06 15	2 47	1 44	0 18	44
25	1 00 21	13 24 58	3 32	1 45	0 16	44
26	1 00 20	13 42 16	4 06	1 46	0 14	44
27	1 00 18	13 56 54	4 27	1 47	0 11	44
28	1 00 16	14 07 57	4 33	1 48	0 09	44

MARCH

D	☉ ° ′ ″	☽ ° ′ ″	☽Dec. ° ′	☿ ° ′	♀ ° ′	♂ ′
1	1 00 14	14 14 56	4 22	1 49	0 07	44
2	1 00 12	14 17 51	3 55	1 50	0 05	44
3	1 00 10	14 17 04	3 13	1 51	0 02	44
4	1 00 08	14 13 13	2 17	1 52	0 00	44
5	1 00 06	14 06 58	1 12	1 53	0 03	44
6	1 00 04	13 58 57	0 02	1 54	0 05	43
7	1 00 02	13 49 34	1 05	1 55	0 08	43
8	0 59 59	13 39 01	2 06	1 56	0 10	43
9	0 59 57	13 27 27	2 56	1 57	0 13	43
10	0 59 55	13 14 55	3 33	1 57	0 15	43
11	0 59 53	13 01 35	3 56	1 58	0 18	43
12	0 59 51	12 47 49	4 06	1 58	0 20	43
13	0 59 49	12 34 06	4 04	1 58	0 23	43
14	0 59 47	12 21 07	3 52	1 58	0 25	43
15	0 59 45	12 09 40	3 31	1 58	0 27	43
16	0 59 44	12 00 34	3 02	1 58	0 29	43
17	0 59 42	11 54 37	2 28	1 57	0 31	43
18	0 59 40	11 52 29	1 47	1 56	0 32	43
19	0 59 38	11 54 44	1 01	1 54	0 34	43
20	0 59 37	12 01 42	0 12	1 52	0 35	43
21	0 59 35	12 13 29	0 41	1 50	0 36	43
22	0 59 33	12 29 51	1 35	1 47	0 37	43
23	0 59 31	12 50 11	2 27	1 44	0 37	43
24	0 59 30	13 13 23	3 15	1 40	0 38	43
25	0 59 28	13 37 48	3 56	1 36	0 38	43
26	0 59 26	14 01 19	4 25	1 32	0 38	43
27	0 59 24	14 21 35	4 40	1 27	0 37	43
28	0 59 22	14 36 21	4 37	1 22	0 36	43
29	0 59 20	14 44 01	4 15	1 16	0 35	43
30	0 59 18	14 44 02	3 34	1 10	0 34	42
31	0 59 15	14 37 04	2 38	1 04	0 33	42

APRIL

D	☉ ° ′ ″	☽ ° ′ ″	☽Dec. ° ′	☿ ° ′	♀ ° ′	♂ ′
1	0 59 13	14 24 40	1 30	0 58	0 31	42
2	0 59 11	14 08 54	0 19	0 51	0 30	42
3	0 59 08	13 51 45	0 51	0 44	0 28	42
4	0 59 06	13 34 47	1 53	0 37	0 26	42
5	0 59 04	13 18 58	2 44	0 31	0 24	42
6	0 59 01	13 04 43	3 23	0 24	0 22	42
7	0 58 59	12 52 00	3 48	0 17	0 19	42
8	0 58 57	12 40 37	4 02	0 10	0 17	42
9	0 58 55	12 30 14	4 04	0 03	0 15	42
10	0 58 53	12 20 38	3 57	0 03	0 12	42
11	0 58 51	12 11 49	3 40	0 10	0 10	42
12	0 58 49	12 04 00	3 14	0 16	0 07	42
13	0 58 47	11 57 35	2 41	0 21	0 05	42
14	0 58 45	11 53 14	2 01	0 26	0 02	42
15	0 58 43	11 51 39	1 17	0 31	0 00	42
16	0 58 42	11 53 34	0 28	0 34	0 03	42
17	0 58 40	11 59 41	0 23	0 38	0 05	42
18	0 58 38	12 10 32	1 15	0 40	0 07	42
19	0 58 36	12 26 23	2 06	0 41	0 09	42
20	0 58 35	12 47 06	2 55	0 42	0 11	42
21	0 58 33	13 12 02	3 38	0 42	0 14	42
22	0 58 31	13 39 47	4 13	0 41	0 16	41
23	0 58 30	14 08 09	4 36	0 40	0 18	41
24	0 58 28	14 34 09	4 44	0 38	0 19	41
25	0 58 26	14 54 28	4 33	0 35	0 21	41
26	0 58 25	15 06 14	4 01	0 32	0 23	41
27	0 58 23	15 07 45	3 09	0 28	0 25	41
28	0 58 21	14 59 11	2 00	0 24	0 26	41
29	0 58 19	14 42 25	0 44	0 20	0 28	41
30	0 58 17	14 20 23	0 32	0 15	0 29	41

MAY

D	☉	☽	☽Dec.	☿	♀	♂
	° ′ ″	° ′ ″	° ′	° ′	° ′	′
1	0 58 15	13 56 11	1 40	0 10	0 31	41
2	0 58 13	13 32 26	2 36	0 06	0 32	41
3	0 58 11	13 10 53	3 17	0 01	0 34	41
4	0 58 09	12 52 27	3 45	0 04	0 35	41
5	0 58 07	12 37 18	4 00	0 09	0 36	41
6	0 58 05	12 25 14	4 05	0 13	0 37	41
7	0 58 03	12 15 44	4 00	0 18	0 39	41
8	0 58 01	12 08 14	3 46	0 22	0 40	41
9	0 57 59	12 02 16	3 23	0 27	0 41	41
10	0 57 58	11 57 33	2 53	0 31	0 42	41
11	0 57 56	11 54 04	2 15	0 35	0 43	41
12	0 57 55	11 52 01	1 32	0 39	0 44	41
13	0 57 53	11 51 55	0 44	0 42	0 45	41
14	0 57 52	11 54 22	0 07	0 46	0 46	41
15	0 57 51	12 00 08	0 59	0 50	0 46	41
16	0 57 49	12 09 52	1 50	0 53	0 47	41
17	0 57 48	12 24 11	2 37	0 56	0 48	41
18	0 57 47	12 43 20	3 20	0 59	0 49	40
19	0 57 46	13 07 08	3 56	1 03	0 50	40
20	0 57 45	13 34 39	4 23	1 06	0 50	40
21	0 57 44	14 04 08	4 39	1 08	0 51	40
22	0 57 43	14 32 46	4 39	1 11	0 52	40
23	0 57 42	14 57 03	4 20	1 14	0 52	40
24	0 57 41	15 13 22	3 39	1 17	0 53	40
25	0 57 39	15 19 01	2 38	1 19	0 53	40
26	0 57 38	15 13 07	1 21	1 22	0 54	40
27	0 57 37	14 56 58	0 01	1 25	0 54	40
28	0 57 36	14 33 28	1 19	1 27	0 55	40
29	0 57 34	14 06 11	2 23	1 30	0 55	40
30	0 57 33	13 38 23	3 11	1 32	0 56	40
31	0 57 31	13 12 33	3 43	1 35	0 56	40

JUNE

D	☉	☽	☽Dec.	☿	♀	♂
	° ′ ″	° ′ ″	° ′	° ′	° ′	′
1	0 57 30	12 50 10	4 01	1 37	0 57	40
2	0 57 29	12 31 54	4 07	1 40	0 57	40
3	0 57 27	12 17 46	4 03	1 42	0 58	40
4	0 57 26	12 07 25	3 51	1 45	0 58	40
5	0 57 25	12 00 17	3 31	1 47	0 58	40
6	0 57 24	11 55 44	3 03	1 49	0 59	40
7	0 57 23	11 53 13	2 28	1 52	0 59	40
8	0 57 22	11 52 21	1 46	1 54	0 59	40
9	0 57 21	11 52 57	0 59	1 56	1 00	40
10	0 57 21	11 55 06	0 08	1 59	1 00	40
11	0 57 20	11 59 07	0 44	2 01	1 00	40
12	0 57 19	12 05 28	1 35	2 03	1 01	40
13	0 57 19	12 14 45	2 23	2 05	1 01	40
14	0 57 18	12 27 33	3 06	2 06	1 01	40
15	0 57 18	12 44 16	3 42	2 08	1 02	40
16	0 57 18	13 04 59	4 10	2 09	1 02	40
17	0 57 17	13 29 14	4 28	2 10	1 02	40
18	0 57 17	13 55 47	4 34	2 11	1 02	39
19	0 57 17	14 22 32	4 24	2 11	1 03	39
20	0 57 17	14 46 32	3 56	2 12	1 03	39
21	0 57 16	15 04 29	3 07	2 12	1 03	39
22	0 57 16	15 13 28	2 00	2 11	1 03	39
23	0 57 16	15 11 52	0 39	2 11	1 04	39
24	0 57 16	14 59 53	0 44	2 10	1 04	39
25	0 57 15	14 39 29	1 59	2 09	1 04	39
26	0 57 15	14 13 42	2 59	2 08	1 04	39
27	0 57 14	13 45 48	3 39	2 06	1 04	39
28	0 57 14	13 18 34	4 03	2 05	1 05	39
29	0 57 13	12 53 59	4 12	2 03	1 05	39
30	0 57 13	12 33 17	4 10	2 01	1 05	39

JULY

D	☉	☽	☽Dec.	☿	♀	♂
	° ′ ″	° ′ ″	° ′	° ′	° ′	′
1	0 57 12	12 16 57	3 58	1 59	1 05	39
2	0 57 12	12 05 02	3 39	1 58	1 05	39
3	0 57 12	11 57 13	3 13	1 56	1 06	39
4	0 57 12	11 53 01	2 39	1 54	1 06	39
5	0 57 11	11 51 53	1 59	1 52	1 06	39
6	0 57 11	11 53 14	1 14	1 50	1 06	39
7	0 57 11	11 56 37	0 24	1 48	1 06	39
8	0 57 11	12 01 42	0 29	1 46	1 06	39
9	0 57 11	12 08 21	1 22	1 44	1 06	39
10	0 57 12	12 16 38	2 11	1 42	1 07	39
11	0 57 12	12 26 44	2 56	1 40	1 07	39
12	0 57 12	12 38 55	3 33	1 38	1 07	39
13	0 57 13	12 53 29	4 01	1 35	1 07	39
14	0 57 13	13 10 29	4 20	1 33	1 07	39
15	0 57 14	13 29 43	4 27	1 31	1 07	39
16	0 57 14	13 50 25	4 22	1 29	1 07	39
17	0 57 15	14 11 18	4 01	1 27	1 08	39
18	0 57 16	14 30 25	3 22	1 25	1 08	39
19	0 57 17	14 45 30	2 26	1 23	1 08	39
20	0 57 17	14 54 18	1 14	1 21	1 08	39
21	0 57 18	14 55 14	0 06	1 19	1 08	39
22	0 57 19	14 47 48	1 26	1 17	1 08	39
23	0 57 19	14 32 45	2 35	1 14	1 08	39
24	0 57 20	14 11 54	3 27	1 12	1 08	39
25	0 57 20	13 47 39	4 00	1 09	1 09	39
26	0 57 21	13 22 26	4 16	1 07	1 09	39
27	0 57 21	12 58 21	4 18	1 04	1 09	39
28	0 57 22	12 36 59	4 08	1 02	1 09	39
29	0 57 22	12 19 23	3 49	0 59	1 09	39
30	0 57 23	12 06 06	3 24	0 56	1 09	39
31	0 57 23	11 57 18	2 51	0 53	1 09	39

AUGUST

D	☉	☽	☽Dec.	☿	♀	♂
	° ′ ″	° ′ ″	° ′	° ′	° ′	′
1	0 57 24	11 52 51	2 13	0 50	1 09	39
2	0 57 25	11 52 25	1 28	0 46	1 09	39
3	0 57 25	11 55 33	0 39	0 43	1 09	38
4	0 57 26	12 01 41	0 13	0 39	1 10	38
5	0 57 27	12 10 13	1 06	0 35	1 10	38
6	0 57 28	12 20 37	1 58	0 31	1 10	38
7	0 57 29	12 32 21	2 46	0 27	1 10	38
8	0 57 30	12 45 01	3 26	0 23	1 10	38
9	0 57 31	12 58 18	3 57	0 18	1 10	38
10	0 57 32	13 12 00	4 18	0 13	1 10	38
11	0 57 33	13 25 54	4 27	0 08	1 10	38
12	0 57 35	13 39 49	4 22	0 03	1 10	38
13	0 57 36	13 53 21	4 03	0 02	1 10	38
14	0 57 38	14 05 59	3 29	0 08	1 11	38
15	0 57 39	14 16 54	2 40	0 14	1 11	38
16	0 57 41	14 25 08	1 36	0 19	1 11	38
17	0 57 43	14 29 38	0 22	0 25	1 11	38
18	0 57 44	14 29 28	0 55	0 30	1 11	38
19	0 57 46	14 24 05	2 06	0 35	1 11	38
20	0 57 47	14 13 30	3 06	0 40	1 11	38
21	0 57 49	13 58 19	3 48	0 44	1 11	38
22	0 57 50	13 39 39	4 13	0 48	1 11	38
23	0 57 51	13 19 02	4 22	0 51	1 11	38
24	0 57 53	12 58 05	4 17	0 53	1 11	38
25	0 57 54	12 38 20	4 01	0 54	1 11	38
26	0 57 55	12 21 08	3 37	0 54	1 12	38
27	0 57 56	12 07 26	3 05	0 53	1 12	38
28	0 57 58	11 57 57	2 27	0 51	1 12	38
29	0 57 59	11 53 02	1 43	0 48	1 12	38
30	0 58 00	11 52 47	0 56	0 43	1 12	38
31	0 58 02	11 57 04	0 04	0 38	1 12	38

SEPTEMBER

D	☉ ° ′ ″	☽ ° ′ ″	☽Dec. ° ′	☿ ° ′	♀ ° ′	♂ ′
1	0 58 03	12 05 29	0 49	0 31	1 12	38
2	0 58 05	12 17 28	1 42	0 24	1 12	38
3	0 58 06	12 32 12	2 32	0 17	1 12	38
4	0 58 08	12 48 42	3 16	0 08	1 12	38
5	0 58 09	13 05 53	3 53	0 00	1 12	38
6	0 58 11	13 22 34	4 18	0 09	1 12	38
7	0 58 13	13 37 43	4 31	0 18	1 12	38
8	0 58 15	13 50 28	4 30	0 27	1 12	38
9	0 58 17	14 00 18	4 13	0 35	1 13	38
10	0 58 19	14 07 03	3 40	0 44	1 13	38
11	0 58 21	14 10 53	2 52	0 52	1 13	38
12	0 58 23	14 12 08	1 50	0 59	1 13	38
13	0 58 25	14 11 11	0 40	1 06	1 13	38
14	0 58 27	14 08 16	0 34	1 13	1 13	38
15	0 58 30	14 03 26	1 44	1 19	1 13	38
16	0 58 32	13 56 33	2 45	1 24	1 13	38
17	0 58 34	13 47 26	3 32	1 29	1 13	38
18	0 58 36	13 35 59	4 04	1 33	1 13	38
19	0 58 38	13 22 20	4 20	1 37	1 13	38
20	0 58 40	13 06 56	4 22	1 40	1 13	38
21	0 58 41	12 50 34	4 11	1 42	1 13	38
22	0 58 43	12 34 17	3 50	1 45	1 13	38
23	0 58 45	12 19 13	3 20	1 46	1 13	38
24	0 58 47	12 06 31	2 42	1 47	1 13	38
25	0 58 49	11 57 10	2 00	1 48	1 14	38
26	0 58 51	11 51 58	1 12	1 49	1 14	38
27	0 58 52	11 51 31	0 22	1 49	1 14	38
28	0 58 54	11 56 06	0 30	1 49	1 14	38
29	0 58 56	12 05 45	1 23	1 49	1 14	38
30	0 58 58	12 20 09	2 14	1 49	1 14	38

OCTOBER

D	☉ ° ′ ″	☽ ° ′ ″	☽Dec. ° ′	☿ ° ′	♀ ° ′	♂ ′
1	0 58 59	12 38 39	3 01	1 49	1 14	38
2	0 59 01	13 00 05	3 42	1 48	1 14	38
3	0 59 03	13 22 53	4 14	1 48	1 14	38
4	0 59 05	13 45 04	4 34	1 47	1 14	38
5	0 59 07	14 04 30	4 40	1 46	1 14	38
6	0 59 09	14 19 15	4 28	1 46	1 14	38
7	0 59 11	14 28 01	3 59	1 45	1 14	38
8	0 59 13	14 30 24	3 12	1 44	1 14	38
9	0 59 16	14 27 03	2 09	1 44	1 14	38
10	0 59 18	14 19 18	0 58	1 43	1 14	38
11	0 59 20	14 08 48	0 17	1 42	1 14	38
12	0 59 23	13 57 05	1 28	1 41	1 14	38
13	0 59 25	13 45 12	2 30	1 41	1 14	38
14	0 59 27	13 33 42	3 19	1 40	1 14	38
15	0 59 29	13 22 37	3 54	1 39	1 14	38
16	0 59 32	13 11 43	4 14	1 39	1 15	38
17	0 59 34	13 00 35	4 21	1 38	1 15	38
18	0 59 36	12 49 00	4 16	1 37	1 15	38
19	0 59 38	12 36 56	3 59	1 37	1 15	38
20	0 59 40	12 24 44	3 33	1 36	1 15	38
21	0 59 42	12 13 00	2 58	1 35	1 15	38
22	0 59 44	12 02 36	2 17	1 35	1 15	38
23	0 59 46	11 54 31	1 30	1 34	1 15	38
24	0 59 48	11 49 42	0 39	1 34	1 15	38
25	0 59 49	11 49 02	0 13	1 33	1 15	38
26	0 59 51	11 53 13	1 05	1 33	1 15	38
27	0 59 53	12 02 42	1 55	1 32	1 15	38
28	0 59 54	12 17 40	2 42	1 32	1 15	38
29	0 59 56	12 37 49	3 25	1 31	1 15	38
30	0 59 58	13 02 19	4 01	1 31	1 15	38
31	0 59 59	13 29 38	4 28	1 30	1 15	38

NOVEMBER

D	☉ ° ′ ″	☽ ° ′ ″	☽Dec. ° ′	☿ ° ′	♀ ° ′	♂ ′
1	1 00 01	13 57 27	4 43	1 30	1 15	38
2	1 00 03	14 22 51	4 41	1 29	1 15	38
3	1 00 04	14 42 46	4 21	1 29	1 15	38
4	1 00 06	14 54 37	3 40	1 28	1 15	38
5	1 00 08	14 57 09	2 40	1 27	1 15	38
6	1 00 10	14 50 44	1 26	1 27	1 15	38
7	1 00 12	14 37 12	0 05	1 26	1 15	38
8	1 00 14	14 19 11	1 12	1 26	1 15	38
9	1 00 16	13 59 21	2 19	1 25	1 15	38
10	1 00 18	13 39 49	3 11	1 24	1 15	38
11	1 00 20	13 21 55	3 48	1 24	1 15	38
12	1 00 22	13 06 14	4 10	1 23	1 15	38
13	1 00 24	12 52 45	4 20	1 22	1 15	38
14	1 00 26	12 41 06	4 17	1 21	1 15	38
15	1 00 28	12 30 46	4 05	1 20	1 15	38
16	1 00 29	12 21 17	3 42	1 18	1 15	38
17	1 00 31	12 12 26	3 11	1 17	1 15	38
18	1 00 33	12 04 13	2 32	1 15	1 15	38
19	1 00 34	11 56 58	1 47	1 13	1 15	38
20	1 00 36	11 51 16	0 57	1 11	1 15	38
21	1 00 37	11 47 54	0 05	1 09	1 15	38
22	1 00 38	11 47 40	0 48	1 06	1 15	38
23	1 00 40	11 51 26	1 38	1 03	1 15	38
24	1 00 41	11 59 55	2 25	0 59	1 15	38
25	1 00 42	12 13 38	3 08	0 55	1 15	38
26	1 00 43	12 32 45	3 44	0 51	1 15	38
27	1 00 44	12 56 57	4 13	0 45	1 15	38
28	1 00 45	13 25 12	4 33	0 39	1 15	38
29	1 00 46	13 55 35	4 41	0 33	1 15	38
30	1 00 47	14 25 14	4 33	0 25	1 15	38

DECEMBER

D	☉ ° ′ ″	☽ ° ′ ″	☽Dec. ° ′	☿ ° ′	♀ ° ′	♂ ′
1	1 00 48	14 50 39	4 06	0 17	1 15	38
2	1 00 49	15 08 19	3 16	0 08	1 15	38
3	1 00 50	15 15 41	2 06	0 02	1 15	38
4	1 00 51	15 11 57	0 43	0 12	1 15	38
5	1 00 52	14 58 22	0 44	0 24	1 15	38
6	1 00 54	14 37 37	2 01	0 35	1 15	38
7	1 00 55	14 12 59	3 02	0 46	1 15	38
8	1 00 56	13 47 29	3 45	0 57	1 15	38
9	1 00 57	13 23 22	4 11	1 06	1 15	38
10	1 00 58	13 02 01	4 22	1 14	1 15	38
11	1 00 59	12 43 59	4 21	1 20	1 16	38
12	1 01 01	12 29 18	4 09	1 23	1 16	38
13	1 01 02	12 17 38	3 49	1 23	1 16	38
14	1 01 03	12 08 28	3 21	1 20	1 16	38
15	1 01 04	12 01 21	2 44	1 15	1 16	38
16	1 01 04	11 55 51	2 01	1 08	1 16	38
17	1 01 05	11 51 49	1 13	0 59	1 16	38
18	1 01 06	11 49 16	0 21	0 49	1 16	38
19	1 01 06	11 48 31	0 32	0 38	1 16	38
20	1 01 07	11 50 00	1 24	0 27	1 16	38
21	1 01 07	11 54 20	2 11	0 16	1 16	38
22	1 01 07	12 02 10	2 54	0 06	1 16	38
23	1 01 08	12 14 05	3 30	0 04	1 16	38
24	1 01 08	12 30 30	3 59	0 13	1 16	38
25	1 01 08	12 51 29	4 20	0 21	1 16	38
26	1 01 08	13 16 35	4 32	0 29	1 16	37
27	1 01 08	13 44 36	4 31	0 35	1 16	37
28	1 01 08	14 13 30	4 14	0 41	1 16	37
29	1 01 08	14 40 25	3 39	0 47	1 16	37
30	1 01 08	15 02 00	2 42	0 51	1 16	37
31	1 01 08	15 15 09	1 27	0 56	1 15	37

JANUARY

Date	Time	Aspect	
1 Su	02 28	☿Q♃	
	06 53	♂☌♆	
	08 19	♂∥♆	
	09 38	☽⊻♇	g
	11 07	☽∠☿	b
	16 24	☽⚹♅	G
	16 59	☽∥♀	G
	17 38	☽△♃	G
	18 04	☽⚹♄	G
2 Mo	04 19	☽∠☉	b
	07 59	☽☌♀	G
	09 57	☽♓	
	12 58	☽⚹☿	G
	13 38	☽∠♇	b
	20 13	☽∠♅	b
	21 38	☽⚻♃	b
3 Tu	01 44	☽∥♆	D
	03 56	☽☌♆	D
	05 09	☽∥♂	B
	06 36	☽☌♂	B
	07 47	♀♓	
	09 14	☽#♅	B
	10 13	☽⚹☉	G
	11 12	☽∥♃	G
	17 07	☽⚹♇	G
	19 41	☿⚹♀	
	23 29	☽⊻♅	g
4 We	01 33	☽□♄	B
	10 09	☿Q♂	
	14 17	☿♐	
	16 14	☽□☿	B
	16 20	☽♈	
	19 07	☽⊻♀	g
5 Th	06 41	♀∠♇	
	09 30	♂#♅	
	09 38	☽⊻♆	g
	15 11	☽⊻♂	g
	19 47	☽□☉	B
	22 16	☽□♇	B
	23 31	☽∠♀	b
6 Fr	04 15	☽☌♅	B
	04 46	♂∥♃	
	06 06	☽☍♃	B
	06 37	☽△♄	G
	11 35	☽∠♆	b
	17 52	☽#♂	B
	18 24	☽∠♂	b
	18 41	☽△☿	G
	18 55	☽#♃	G
	20 13	☽∥♅	B
	20 18	☽♉	
7 Sa	02 55	☽#♆	D
	03 08	☽⚹♀	G
	03 23	♀Q♄	
	06 45	☉☌♇	
	08 14	☽⚻♄	b
	12 56	☽⚹♆	G
	15 15	☽#♀	G
	17 14	♂⊥♅	
	19 33	☽⚻☿	b
	20 57	☽⚹♂	G
8 Su	01 02	☽△♇	G
	02 23	☽△☉	G
	06 41	☽⊻♅	g
	09 44	☿Stat	
	14 39	♀∠♅	
	22 06	☽♊	

Date	Time	Aspect	
9 Mo	01 43	☽⚻♇	b
	04 49	☽⚻☉	b
	07 15	☽∠♅	b
	08 30	☽□♀	B
	09 25	☽⚻♃	b
	12 25	♂±♃	
	14 18	☽□♆	B
	22 34	♀⚻♃	
10 Tu	00 40	☽□♂	B
	02 57	☉∥♄	
	07 36	☽⚹♅	G
	09 53	☽△♃	G
	10 32	☽☍♄	B
	16 22	☉□♅	
	21 38	☽☍☿	B
	22 49	☽♋	
11 We	07 15	♂⚹♇	
	12 51	☽△♀	G
	15 06	☽△♆	G
12 Th	03 06	☽☍♇	B
	04 08	☽△♂	G
	04 20	♀∥♆	
	04 43	☉□♃	
	08 34	☽□♅	B
	11 07	☽□♃	B
	11 34	☽☍☉	B
	14 03	☿♑	
	15 23	☽⚻♀	b
	15 50	☽⚻♆	b
	16 32	☉⊻♄	
	21 54	♀☌♆	
13 Fr	00 08	☽♌	
	06 28	☽⚻♂	b
	13 13	☽⚻♄	b
	22 10	☉∥♇	
14 Sa	03 11	☽⚻☿	b
	07 03	☉∥☿	
	11 14	♀#♅	
	11 25	☽△♅	G
	14 21	☽⚹♃	G
	14 23	♀∥♃	
	15 17	☽△♄	G
	17 04	☿∥♇	
15 Su	01 52	☉∠♆	
	03 52	☽♍	
	06 58	☽△☿	G
	08 13	☽⚻♇	b
	14 04	☽⚻♅	b
	17 12	☽∠♃	b
	19 29	♂⊻♅	
	20 30	☽#♆	D
	22 08	☽☍♆	B
	23 47	☽⚻☉	b
16 Mo	02 52	☽∥♅	B
	03 06	☽#♃	G
	03 58	☽☍♀	B
	08 21	☽#♀	G
	11 40	☽△♇	G
	19 02	☽☍♂	B
	21 02	☽⊻♃	g
	22 13	☽□♄	B
17 Tu	00 42	☽#♂	B
	06 09	☽△☉	G
	11 16	☽♎	
	14 14	♀⊥♅	
	18 37	☽□☿	B
18 We	07 51	♂▽♃	
	13 56	☿Q♃	
	19 55	☽∥♂	B

Date	Time	Aspect	
	21 23	☽□♇	B
19 Th	03 42	☽☍♅	B
	06 19	☉⊥♄	
	07 27	☽☌♃	G
	07 43	☽∥♀	G
	08 55	☽⚹♄	G
	09 16	♂□♄	
	12 37	☽⚻♆	b
	13 08	♃#♅	
	13 13	☿∥♄	
	13 54	♀±♃	
	21 24	☉♒	
	22 09	☽♏	
	22 13	☽□☉	B
	23 04	☽#♅	B
	23 05	☽∥♃	G
20 Fr	02 29	☽⚻♀	b
	05 34	☽∥♆	D
	11 14	☽⚹☿	G
	13 57	♀⚹♇	
	15 15	☽∠♄	b
	17 00	☽⚻♂	b
	18 50	☽△♆	G
21 Sa	09 44	☽⚹♇	G
	11 24	☽△♀	G
	20 07	☽⊻♃	g
	20 38	☽∠☿	b
	21 52	☽⊻♄	g
22 Su	01 24	☽△♂	G
	10 45	☽♐	
	16 10	☽∠♇	b
	16 30	☽⚹☉	G
	22 30	☽⚻♅	b
23 Mo	02 32	☽∠♃	b
	06 08	☽⊻☿	g
	07 37	☽□♆	B
	21 29	☿⚹♆	
	22 23	☽⊻♇	g
24 Tu	00 24	♀⊻♅	
	01 24	☽∠☉	b
	04 36	☽△♅	G
	04 39	☉⊥♆	
	04 56	☽□♀	B
	08 38	☽⚹♃	G
	10 38	☽☌♄	B
	17 33	☽□♂	B
	22 43	☽♑	
25 We	07 37	☽∥☉	G
	09 44	☽⊻☉	g
	19 07	☽⚹♆	G
	23 58	☽☌☿	G
26 Th	05 42	☽∥☉	G
	08 02	♀▽♃	
	09 22	☽☌♇	D
	15 18	☽□♅	B
	19 15	☽□♃	B
	20 05	☽⚹♀	G
	21 28	☽⊻♄	g
27 Fr	00 01	☽∠♆	b
	07 18	☽⚹♂	G
	08 37	☽♒	
	17 50	♀□♄	
28 Sa	00 07	☽☌☉	D
	01 08	♂Q♇	
	01 57	☽∠♄	b
	02 29	☽∠♀	b
	04 19	☽⊻♆	g
	05 39	♂♈	
	13 06	☽∠♂	b

Date	Time	Aspect	
	15 04	☽⊻☿	g
	16 35	☉Q♅	
	17 59	☽⊻♇	g
	23 39	☽⚹♅	G
29 Su	01 35	☉∠♄	
	03 28	☽△♃	G
	05 52	☽⚹♄	G
	08 09	☽⊻♀	g
	16 10	☽♓	
	18 14	☽⊻♂	g
	20 21	☿☌♇	
	21 28	☽∠♇	b
	21 35	☽∠☿	b
30 Mo	00 03	♀#♂	
	03 01	☽∠♅	b
	06 45	☽⚻♃	b
	07 03	☉⊻♆	
	10 12	☽∥♆	D
	11 17	☽☌♆	D
	11 37	☽⊻☉	g
	14 33	☽∥♃	G
	14 38	☽#♅	B
31 Tu	00 28	☽⚹♇	G
	03 31	☽⚹☿	G
	05 54	☽⊻♅	g
	12 11	☽□♄	B
	16 29	☽∠☉	b
	17 36	☽☌♀	G
	21 46	☽♈	
	22 47	☿Q♂	

FEBRUARY

Date	Time	Aspect	
1 We	01 14	♀∥♂	
	02 52	☽☌♂	B
	03 32	☿□♅	
	04 51	☽#♀	G
	04 58	☽#♂	B
	07 27	♃#♅	
	14 41	☽∥♂	B
	15 11	☽∥♀	G
	16 26	☽⊻♆	g
	20 50	☽⚹☉	G
2 Th	05 13	☽□♇	B
	10 30	☽☌♅	B
	13 52	☽□☿	B
	14 01	☽☍♃	B
	15 15	☿□♃	
	16 50	☽△♄	G
	18 27	☽∠♆	b
3 Fr	00 59	☽⊻♀	g
	01 50	☽♉	
	03 40	☽#♃	G
	03 46	☽∥♅	B
	07 30	☽#♆	D
	09 42	☽⊻♂	g
	10 17	☿∥♄	
	14 34	☉∠♀	
	15 51	♀♈	
	18 07	♀Q♇	
	18 40	☽⚻♄	b
	20 10	☽⚹♆	G
	20 50	☿⊻♄	
4 Sa	04 05	☽∠♀	b
	04 19	☽□☉	B
	08 38	☽△♇	G
	11 49	☿∠♆	
	12 36	☽∠♂	b
	13 48	☽⊻♅	g
	22 42	☽△☿	G

Date	Time	Aspect	
5 Su	04 44	☽♊	
	06 51	☽⚹♀	G
	09 59	☽⚻♇	b
	11 33	☽#☉	G
	15 07	☽∠♅	b
	15 15	☽⚹♂	G
	18 25	☽⚻♃	b
	22 53	☽□♆	B
6 Mo	02 45	☽⚻☿	b
	06 52	♃Stat	
	10 40	☽△☉	G
	16 19	☽⚹♅	G
	18 34	☉⊻♇	
	19 33	☽△♃	G
	22 53	☽☍♄	B
7 Tu	07 03	☽♋	
	09 35	☿♒	
	11 55	☽□♀	B
	13 43	☽⚻☉	b
	20 09	☿∥♇	
	20 18	☽□♂	B
8 We	01 19	☽△♆	G
	05 40	☿⊥♄	
	13 41	☽☍♇	B
	18 52	☽□♅	B
	22 00	☽□♃	B
9 Th	02 44	☽⚻♆	b
	09 41	☽♌	
	15 25	☽☍☿	B
	17 20	☽△♀	G
	21 16	☉⚹♅	
10 Fr	02 05	☽△♂	G
	03 32	☽⚻♄	b
	16 29	☽#☉	G
	17 03	☿⊥♆	
	20 38	☽⚻♀	b
	21 18	☿⚹♀	
	22 36	☽△♅	G
11 Sa	00 33	☽☍☉	B
	01 40	☽⚹♃	G
	05 44	☽⚻♂	b
	05 52	☽△♄	G
	13 52	☽♍	
	15 25	☉△♃	
	19 47	☽⚻♇	b
12 Su	01 18	☽⚻♅	b
	01 49	♂⊻♆	
	04 21	☽∠♃	b
	08 54	☽#♆	D
	09 42	☽☍♆	B
	11 21	☽∥♅	B
	12 31	☽#♃	G
	21 13	☉⊥♇	
	22 44	☽∥♀	G
	23 03	☽△♇	G
13 Mo	06 54	☽∥♂	B
	07 45	☽⊻♃	g
	09 47	☽⚻☿	b
	12 36	☽□♄	B
	14 21	☿Q♅	
	20 43	☽♎	
14 Tu	05 58	☉⚹♄	
	10 00	☿∠♄	
	10 51	☽☍♀	B
	15 50	☿⊻♆	
	18 05	☽⚻☉	b
	18 09	☽△☿	G
	21 42	☽☍♂	B
15	07 57	☽□♇	B

We	14 01	☽☍♅	B
	16 54	☽☌♃	G
	17 23	☽#♂	B
	22 30	☽✱♄	G
	23 08	☽⚻♆	b
16	01 54	☽△☉	G
Th	05 41	☽#♀	G
	06 41	☽♏	
	08 16	☽∥♃	G
	10 16	☽#♅	B
	12 11	☽∥♆	D
	18 15	☿✱♂	
17	04 29	☽∠♄	b
Fr	05 02	☽△♆	G
	06 17	♀#♃	
	14 18	☽□☿	B
	14 33	☽∥☉	G
	19 38	☽✱♇	G
18	04 34	☽⚺♃	g
Sa	05 21	♀∥♅	
	07 48	☽⚻♀	b
	10 52	☽⚺♄	g
	11 31	☉♓	
	18 52	☽♐	
	19 33	☽□☉	B
	20 40	♀#♆	
	20 58	☽⚻♂	b
19	02 00	☽∠♇	b
Su	05 38	☿⚺♇	
	08 22	☽⚻♅	b
	10 46	☽∠♃	b
	15 20	☽△♀	G
	17 43	☽□♆	B
	17 54	☽∥☿	G
20	05 13	☽△♂	G
Mo	08 18	☽⚺♇	g
	12 31	☽✱☿	G
	14 39	☽△♅	G
	15 44	♂⊥♆	
	16 49	☽✱♃	G
	23 37	☽☌♄	B
21	04 01	☿✱♅	
Tu	05 24	☉∠♂	
	07 08	☽♑	
	13 16	☽✱☉	G
	18 27	☿△♃	
	23 05	☽∠☿	b
22	01 19	☉∠♇	
We	05 08	☽□♀	B
	05 35	☽✱♆	G
	09 03	♂□♇	
	19 34	☽☌♇	D
	20 13	☽□♂	B
	20 43	☿⊥♇	
	21 08	☽∠☉	b
	21 58	♀⚺♆	
23	01 44	☽□♅	B
Th	02 10	♂#♃	
	03 24	☽□♃	B
	08 43	☽⚺☿	g
	10 26	☽⚺♄	g
	10 34	☽∠♆	b
	14 08	☉#♀	
	17 17	☽♒	
	21 45	☿✱♄	
24	03 38	☿∠♀	
Fr	04 04	☽⚺☉	g
	07 53	☉⊥♀	
	14 42	☽∠♄	b
	14 47	☽⚺♆	g
	15 41	☽✱♀	G
25	01 10	♂∥♅	
Sa	03 03	♂#♆	
	03 52	☽∥☿	G
	03 58	☽⚺♇	g
	07 46	☽✱♂	G
	08 37	☉∠♅	
	09 53	☽✱♅	G
	11 02	☽△♃	G
	18 11	☽✱♄	G
	19 28	♅#♆	
	19 34	☽∠♀	b
	23 04	☉⚻♃	
	23 07	☿♓	
26	00 24	☽♓	
Su	00 36	☽☌☿	G
	05 55	☽#♀	G
	07 01	☽∠♇	b
	12 12	☽∠♂	b
	12 49	☽∠♅	b
	13 44	☽⚻♃	b
	14 58	☽ • ●	D
	16 19	☉#♂	
	17 31	☽#♂	B
	17 44	☽∥☉	G
	20 13	☽#♅	B
	20 24	☽∥♆	D
	20 56	☽☌♆	D
	22 39	☽⚺♀	g
27	00 17	☽∥♃	G
Mo	00 19	♂☌♅	
	00 44	☉Q♄	
	09 25	☽✱♇	G
	14 24	♂☍♃	
	15 08	☽⚺♅	g
	15 54	☽⚺♂	g
	19 05	☉#♅	
	23 08	☽□♄	B
	23 12	☉∥♆	
28	01 50	☿∠♇	
Tu	04 52	☽♈	
	12 41	☽⚺☿	g
	22 51	☽⚺☉	g
MARCH			
1	00 46	☽⚺♆	g
We	02 55	☽☌♀	G
	11 49	☿#♀	
	12 49	☽□♇	B
	17 51	☽∠☿	b
	18 27	☽☌♅	B
	18 43	☽☍♃	B
	21 02	☉∥♃	
	21 08	☿⊥♀	
	21 48	☽☌♂	B
	22 40	☿∠♅	
2	00 21	☿⚻♃	
Th	02 08	☽∠☉	b
	02 10	☽∠♆	b
	02 18	☽△♄	G
	02 44	☉☌♆	
	06 27	☽#☉	G
	07 13	☽#♃	G
	07 43	☽♉	
	11 12	☽#♆	D
	12 02	☽∥♅	B
	20 49	☿Q♄	
	21 09	☽∥♂	B
	22 48	☽✱☿	G
	23 17	☽#☿	G
3	01 15	♃☍♅	
Fr	03 26	☽✱♆	G
	03 36	☽⚻♄	b
	05 14	☽✱☉	G
	05 44	☽⚺♀	g
	06 59	☿#♂	
	08 08	☽∥♀	G
	12 49	☉⚺♀	
	15 20	☽△♇	G
	17 47	☿∠♂	
	21 02	☽⚺♅	g
4	02 54	☽⚺♂	g
Sa	06 58	☽∠♀	b
	09 09	♀Stat	
	10 05	☽♊	
	11 10	☿☌♆	
	16 35	☽⚻♇	b
	21 57	☽⚻♃	b
	22 21	☽∠♅	b
5	04 17	☿⚺♀	
Su	05 32	☽∠♂	b
	06 02	☽□♆	B
	08 14	☽✱♀	G
	08 51	☽□☿	B
	09 21	☿#♅	
	11 32	☽□☉	B
	15 53	♂∠♆	
	16 47	☿∥♆	
	20 46	♂△♄	
	23 12	☽△♃	G
	23 50	☽✱♅	G
6	07 48	☽☍♄	B
Mo	07 50	☉±♃	
	08 22	☽✱♂	G
	12 54	☽♋	
	15 25	☿±♃	
	16 27	☿∥♃	
	18 19	☉⊥♅	
	21 19	☿⊥♅	
7	00 29	☉☌☿	
Tu	09 20	☽△♆	G
	11 08	☽□♀	B
	18 48	☽△☉	G
	20 12	☽△☿	G
	21 28	☽☍♇	B
8	02 25	☽□♃	B
We	03 33	☽□♅	B
	05 25	☿✱♇	
	11 25	☽⚻♆	b
	14 59	☽□♂	B
	16 45	☽♌	
	23 00	☽⚻☉	b
9	02 41	☽⚻☿	b
Th	08 33	☉✱♇	
	14 11	☽⚻♄	b
	14 55	☽△♀	G
	14 57	☿▽♃	
10	00 34	♂♉	
Fr	01 55	☿⚺♅	
	06 58	☽✱♃	G
	08 42	☽△♅	G
	08 59	☉∥☿	
	15 47	☽∥♀	G
	17 05	☽△♄	G
	17 15	☽⚻♀	b
	17 53	☽∥♂	B
	22 07	☽♍	
	23 22	☽△♂	G
11	05 22	☽⚻♇	b
Sa	07 16	☿⊥♂	
	09 53	☽∠♃	b
	11 56	☽⚻♅	b
	13 53	♀⚺♆	
	17 01	☽∥♅	B
	19 49	☽#♆	D
	20 00	☉▽♃	
	20 08	☽☍♆	B
	20 20	♀∥♂	
12	01 21	☽#♃	G
Su	04 24	☽⚻♂	b
	08 57	☽△♇	G
	12 10	☿□♄	
	13 18	☽⚺♃	g
	14 54	☽☍☉	B
13	00 25	☽□♄	B
Mo	01 03	☽#☉	G
	02 04	☉⚺♅	
	02 36	☽☍☿	B
	05 28	☽♎	
	11 14	☽#☿	G
	21 07	☿♈	
	22 29	☽∥☿	G
14	02 41	☽☍♀	B
Tu	08 20	☽∥☉	G
	09 58	☿Q♇	
	17 52	☽□♇	B
	21 52	☽☌♃	G
15	01 05	☽☍♅	B
We	09 42	☽⚻♆	b
	10 05	☽✱♄	G
	11 22	☽∥♃	G
	15 11	☽♏	
	17 49	☽∥♆	D
	21 45	☽#♅	B
	23 38	☽☍♂	B
16	02 21	☿⚺♂	
Th	10 23	☉#☿	
	13 11	☽⚻☉	b
	15 25	☽△♆	G
	15 47	☽∠♄	b
	21 29	☽#♀	G
17	05 05	☽✱♇	G
Fr	08 38	☽⚺♃	g
	10 58	☽⚻☿	b
	12 57	☽#♂	B
	16 01	☽⚻♀	b
	21 48	☉□♄	
	21 56	☽⚺♄	g
	21 56	☽△☉	G
18	03 00	☽♐	
Sa	11 20	☽∠♇	b
	12 27	☿☌♀	
	14 34	☽∠♃	b
	19 07	☽⚻♅	b
	20 59	☽△♀	G
	23 06	☽△☿	G
19	03 57	☽□♆	B
Su	17 41	☽⚺♇	g
	20 36	☽✱♃	G
	23 46	☽⚻♂	b
20	01 33	☽△♅	G
Mo	05 51	☿⚺♆	
	10 29	☉♈	
	10 37	☽☌♄	B
	15 31	☽♑	
	15 58	☽□☉	B
	20 22	♀⚺♂	
21	06 32	☽□♀	B
Tu	07 43	☽△♂	G
	14 53	☉Q♇	
	16 17	☽✱♆	G
	18 20	☿#♃	
	22 20	☽□☿	B
22	05 32	☽☌♇	D
We	07 44	☽□♃	B
	13 20	☽□♅	B
	21 38	☽∠♆	b
	21 55	☽⚺♄	g
23	01 54	☿#♆	
Th	02 28	☽♒	
	07 58	☽✱☉	G
	14 06	☽✱♀	G
	14 57	☿⊥♆	
	21 20	☽□♂	B
24	00 45	☿□♇	
Fr	02 02	☿∥♅	
	02 10	☽⚺♆	g
	02 24	☽∠♄	b
	03 28	☽#♂	B
	12 45	☿☍♃	
	14 23	☽∠☉	b
	14 33	☽⚺♇	g
	16 03	☽△♃	G
	16 34	☽✱☿	G
	16 44	☽∠♀	b
	22 02	☽✱♅	G
25	05 56	☽✱♄	G
Sa	08 41	♀⊥♂	
	09 31	☿∥♀	
	10 06	☽♓	
	10 17	☉☌♀	
	17 39	☽∠♇	b
	17 58	☉⊥♂	
	18 33	☽⚺♀	g
	18 42	☽#☿	G
	18 51	☽⚻♃	b
	19 37	☽⚺☉	g
	21 36	☽#♀	G
	23 14	☽∠☿	b
26	00 58	☽∠♅	b
Su	02 52	☽#♅	B
	06 43	☽✱♂	G
	08 23	☽☌♆	D
	08 25	☽∥♆	D
	15 06	☿☌♅	
	16 01	☽∥♃	G
	19 52	☽✱♇	G
27	03 03	☽⚺♅	g
Mo	04 25	☽⚺☿	g
	09 52	☽∠♂	b
	10 19	☽□♄	B
	11 02	☽#☉	G
	14 11	☽♈	
	16 44	♂✱♆	
	18 57	♂⚻♄	
	19 59	☽☌♀	G
28	02 57	☽☌☉	D
Tu	07 07	♀∥♅	
	11 22	☽⚺♆	g
	12 16	☽⚺♂	g
	18 06	☽∥☉	G
	22 14	☽□♇	B
	22 38	☽☍♃	B
29	05 15	☽☌♅	B
We	09 08	☽#♃	G

	11 33	☽☌☿	G
	12 04	☽∠♆	b
	12 07	☽△♄	G
	15 48	☽♉	
	16 46	☽#♆	D
	17 52	☿∠♆	
	18 16	☿△♄	
	19 26	☽∥♀	G
	19 29	☽⊻♀	g
	22 38	☽∥♅	B
30	07 45	☽⊻☉	g
Th	12 34	☽✱♆	G
	12 34	☽⚼♄	b
	15 49	☽☌♂	B
	18 19	♃□♇	
	18 59	☽∠♀	b
	23 12	☽△♇	G
31	04 41	☽∥☿	G
Fr	04 42	♀#♆	
	06 20	☽⊻♅	g
	09 56	☽∠☉	b
	12 10	♀Q♇	
	16 36	☽⊻☿	g
	16 40	☽♊	
	17 30	☿♉	
	18 33	☽✱♀	G
	23 27	☽⚼♃	b
	23 43	☽⚼♇	b
APRIL			
1	06 18	♀∠♂	
Sa	06 59	☽∠♅	b
	10 31	☽∥♂	B
	11 53	☿⊻♀	
	12 20	☽✱☉	G
	13 46	☽□♆	B
	19 06	☽∠☿	b
	19 29	☽⊻♂	g
2	00 01	☽△♃	G
Su	08 00	☽✱♅	G
	10 02	☉⊻♆	
	14 43	☽☍♄	B
	18 27	☽♋	
	18 39	☽□♀	B
	21 52	☽✱☿	G
	21 55	☽∠♂	b
3	00 25	♀♓	
Mo	01 11	♃±♆	
	16 25	☽△♆	G
	18 39	☽□☉	B
4	00 58	☽✱♂	G
Tu	02 31	☽□♃	B
	03 33	☽☍♇	B
	11 15	☉#♃	
	11 31	☽□♅	B
	15 55	☉∥♀	
	18 20	☽∥♂	B
	18 35	☽⚼♆	b
	20 45	☽△♀	G
	22 13	☽♌	
	22 33	♀#♃	
5	02 53	♂∇♃	
We	04 31	☽□☿	B
	17 28	☽∥☿	G
	21 01	☽⚼♄	b
	22 42	☽⚼♀	b
6	03 46	☽△☉	G
Th	04 01	♂△♇	
	05 06	♄ Stat	

	07 15	☽✱♃	G
	09 08	☽□♂	B
	17 23	☽△♅	G
	23 59	☿⊥♀	
7	00 16	☽△♄	G
Fr	04 20	☽♍	
	09 24	☽⚼☉	b
	10 26	☽∠♃	b
	12 22	☽⚼♇	b
	12 40	☽△☿	G
	20 21	☽∥♅	B
	21 10	☽⚼♅	b
	21 39	☉☍♃	
8	04 32	☽☍♆	B
Sa	04 57	☽#♆	D
	05 59	☽∥☉	G
	14 09	☽⊻♃	g
	15 55	☽#♃	G
	16 24	☽△♇	G
	16 29	☉#♆	
	17 09	☽⚼☿	b
	17 24	☉⊥♆	
	19 54	☽△♂	G
	20 28	♀□♄	
	22 46	☽∥♀	G
9	00 49	☉□♇	
Su	08 07	☽☍♀	B
	08 21	☽□♄	B
	12 34	☽♎	
	15 24	♂±♄	
	23 15	☿ Stat	
10	02 10	☽⚼♂	b
Mo	22 58	☽☌♃	G
11	00 35	☽#♀	G
Tu	01 54	☽□♇	B
	06 08	☽☍☉	B
	10 34	☽∥♃	G
	11 31	☽☍♅	B
	18 19	☽✱♄	G
	19 05	☽⚼♆	b
	22 36	☽∥♆	D
	22 42	☽♏	
12	07 40	☽☍☿	B
We	07 45	☽#☉	G
	08 30	♂±♃	
	08 38	☽#♅	B
	16 46	☉∥♅	
	22 29	☽⚼♀	b
	23 56	☽∠♄	b
13	00 48	☽△♆	G
Th	09 29	☽⊻♃	g
	09 37	♂⊻♅	
	13 09	☽✱♇	G
14	00 04	☽☍♂	B
Fr	04 18	☽△♀	G
	05 30	☉☌♅	
	05 54	☽⊻♄	g
	10 27	☽♐	
	12 48	☽#☿	G
	14 15	♂Q♆	
	15 16	☽∠♃	b
	19 18	☽∠♇	b
15	05 39	☽⚼♅	b
Sa	07 41	☽⚼☉	b
	10 18	♀ Stat	
	13 15	☽□♆	B
	21 15	☽✱♃	G
	23 00	☽⚼☿	b
16	01 38	☽⊻♇	g

Su	02 37	☉⊻♂	
	06 23	☿⊥♀	
	12 09	☽△♅	G
	16 46	☽△☉	G
	16 54	☽□♀	B
	18 26	☉⊻♀	
	18 26	☽☌♄	B
	23 04	☽♑	
17	01 26	♀✱♂	
Mo	03 55	☽△☿	G
	12 43	☉△♄	
18	00 28	☽⚼♂	b
Tu	01 55	☽✱♆	G
	02 14	♂∇♄	
	04 58	☉∠♆	
	09 03	☽□♃	B
	13 58	☽☌♇	D
19	00 32	☽□♅	B
We	05 21	☽✱♀	G
	06 16	☽⊻♄	g
	07 42	☽∠♆	b
	08 00	☽△♂	G
	09 57	☽□☉	B
	10 52	☽♒	
	12 31	☽□☿	B
	21 27	☉♉	
20	05 54	☉☌☿	
Th	10 48	☽∠♀	b
	11 15	☽∠♄	b
	12 45	☽⊻♆	g
	12 48	♇ Stat	
	17 37	☿♈	
	18 50	☽△♃	G
21	00 04	☽⊻♇	g
Fr	02 00	☿⊻♂	
	10 16	☽✱♅	G
	10 32	♂♊	
	11 09	♀□♄	
	11 20	☽#☿	G
	14 44	☽#☉	G
	15 19	☽✱♄	G
	15 23	☽⊻♀	g
	18 23	☽✱☿	G
	19 43	☽♓	
	20 13	☽□♂	B
	22 26	☽⚼♃	b
	23 25	☽✱☉	G
22	02 10	☉∥☿	
Sa	03 43	☽∠♇	b
	10 02	☽#♅	B
	13 39	☽∠♅	b
	19 31	♂⊥♅	
	19 57	☽☌♆	D
	20 02	☽∠☿	b
	20 58	☽∥♆	D
	21 38	☿∠♆	
23	04 15	☽∠☉	b
Su	06 19	☽✱♇	G
	08 22	♂⚼♃	
	09 59	☽∥♃	G
	10 39	☿⊻♀	
	16 00	☽⊻♅	g
	20 22	☽□♄	B
	20 52	☽⊻☿	g
	21 34	☽☌♀	G
24	00 32	☽♈	
Mo	03 24	☽#♀	G
	03 43	☽✱♂	G
	07 50	☽⊻☉	g

	08 15	☿△♄	
	10 08	☉⊥♀	
	11 26	♂#♇	
	20 18	☽∥♀	G
	23 10	☽⊻♆	g
25	03 24	☽☍♃	B
Tu	05 53	☽∠♂	b
	08 46	☽□♇	B
	12 17	☿⊥♂	
	12 44	☽#♃	G
	18 04	☽☌♅	B
	20 29	☽☌☿	G
	21 53	☽△♄	G
	23 38	☽∠♆	b
26	00 17	☽⊻♀	g
We	01 06	☽#♆	D
	01 56	☽♉	
	07 20	☽⊻♂	g
	11 37	☽∥♅	B
	12 16	☽☌☉	D
	15 55	☽∥☿	G
	21 49	☽⚼♄	b
	23 38	☽✱♆	G
27	00 52	☽∠♀	b
Th	08 50	☽△♇	G
	17 06	☽∥☉	G
	18 05	☽⊻♅	g
	18 44	☽⊻☿	g
	19 01	♂⚼♇	
28	01 18	☽✱♀	G
Fr	01 39	☽♊	
	02 52	☽⚼♃	b
	08 36	☽⚼♇	b
	09 00	☿∥♅	
	09 16	☽☌♂	B
	13 13	♀♈	
	14 49	☿☌♅	
	15 11	☽⊻☉	g
	17 55	☽∠☿	b
	18 00	☽∠♅	b
	23 22	☽□♆	B
29	02 36	☽△♃	G
Sa	16 57	☽∠☉	b
	17 29	☽✱☿	G
	18 13	☽✱♅	G
	21 28	☽☍♄	B
30	01 48	☽♋	
Su	02 59	☽□♀	B
	12 04	☽⊻♂	g
	19 19	☽✱☉	G
	21 44	♂#♄	
MAY			
1	00 26	☽△♆	G
Mo	03 23	☽□♃	B
	09 58	♀Q♇	
	10 00	☽☍♇	B
	14 28	☽∠♂	b
	18 35	☽□☿	B
	20 23	☽□♅	B
2	01 59	☽⚼♆	b
Tu	04 12	☽♌	
	07 23	☽△♀	G
	11 19	☉⚼♄	
	17 47	☽✱♂	G
3	00 57	☽∥☉	G
We	01 38	☽⚼♄	b
	02 47	☽□☉	B
	06 58	☽✱♃	G

	11 00	☽⚼♀	b
	11 14	♃Q♄	
	16 33	☿ Stat	
	23 17	☽△☿	G
4	00 51	☉✱♆	
Th	01 41	☽△♅	G
	04 35	☽△♄	G
	09 46	☽♍	
	09 59	☽∠♃	b
	17 48	☽⚼♇	b
	23 17	☽∥♅	B
5	00 09	☿∠♂	
Fr	03 07	☽⚼☿	b
	03 15	☽□♂	B
	05 33	☽⚼♅	b
	07 59	☉∇♃	
	11 27	☽☍♆	B
	11 54	☽∥☿	G
	13 06	☽#♆	D
	13 43	☽⊻♃	g
	14 15	☽△☉	G
	21 57	☽△♇	G
6	05 27	☽#♃	G
Sa	12 42	☽□♄	B
	18 20	☽♎	
	19 26	☽∥♀	G
	21 16	☽⚼☉	b
7	01 54	♂∠♅	
Su	03 22	☽☍♀	B
	15 56	☽△♂	G
	20 58	☽#♀	G
	23 01	☽☌♃	G
8	07 56	☽□♇	B
Mo	10 04	☽∥♃	G
	19 42	☽☍☿	B
	20 47	☽☍♅	B
	22 59	☽✱♄	G
	23 08	☽⚼♂	b
9	02 46	☽⚼♆	b
Tu	03 22	☽∥♆	D
	03 52	☽#☿	G
	05 01	☽♏	
	18 24	☉△♇	
	18 51	☽#♅	B
10	04 40	☽∠♄	b
We	05 20	☿☌♅	
	08 40	☽△♆	G
	09 59	☽⊻♃	g
	19 29	☽✱♇	G
	19 52	♂±♇	
	21 42	☽☍☉	B
11	00 05	☉±♃	
Th	01 32	☽⚼♀	b
	08 16	☉±♄	
	10 36	☽⊻♄	g
	15 53	☽∠♃	b
	16 59	☽♐	
	17 52	♂□♆	
	20 14	☿△♄	
12	01 38	☽∠♇	b
Fr	09 41	☽△♀	G
	10 19	♂△♃	
	15 17	☽⚼♅	b
	17 59	☽⚼☿	b
	21 08	☽□♆	B
	21 57	☽✱♃	G
	22 45	☽☍♂	B
13	07 55	☽⊻♇	g
Sa	11 22	☽#☉	G

	21 46	☽△♅	G
	22 56	☽☌♄	B
14	02 14	☽△☿	G
Su	05 37	☽♑	
	22 37	☿∠♆	
15	00 34	☽⚼☉	b
Mo	02 24	☽□♀	B
	09 51	☽✱♆	G
	10 11	☽□♃	B
	16 11	☽#☉	G
	20 24	☽☌♇	D
16	04 07	☿♉	
Tu	09 17	☽△☉	G
	10 22	☽□♅	B
	10 59	☽⊻♄	g
	15 52	☽∠♆	b
	17 03	☉Q♆	
	17 50	☽♒	
	18 54	☽□☿	B
	22 40	☽⚼♂	b
	23 35	☉⊻♅	
17	05 29	☉⊼♄	
We	08 37	♃⊼♆	
	16 24	☽∠♄	b
	18 09	☽✱♀	G
	21 16	☽△♃	G
	21 21	☽⊻♆	g
18	05 38	☽△♂	G
Th	07 22	☽⊻♇	g
	11 56	♀#♃	
	21 01	☽✱♅	G
	21 06	☽✱♄	G
19	00 33	☽□☉	B
Fr	00 53	☽∠♀	b
	01 49	☽⚼♃	b
	03 52	☽♓	
	06 14	♄△♅	
	09 38	☽✱☿	G
	11 43	☽∠♇	b
	13 06	♂⊼♇	
	14 11	♀☍♃	
	16 19	☉⚼♃	
	16 34	☽#♅	B
	17 34	☽#☿	G
	19 30	♀⊻♆	
20	01 02	☽∠♅	b
Sa	04 12	☿∥♅	
	05 51	☽☌♆	D
	06 31	☽⊻♀	g
	06 37	☉∠♀	
	08 17	☽∥♆	D
	15 04	☽✱♇	G
	15 28	☽∠☿	b
	16 28	☽□♂	B
	20 31	☉♊	
	21 53	☽#♀	G
21	01 13	☽∥♃	G
Su	03 39	☽□♄	B
	04 01	☽⊻♅	g
	10 11	☽♈	
	11 12	☽✱☉	G
	19 32	☿∠♂	
	20 07	☽⊻☿	g
22	09 38	☽☍♃	B
Mo	10 17	☽⊻♆	g
	14 09	☽☌♀	G
	14 38	☽∠☉	b
	18 44	☽□♇	B
	19 26	☽#♃	G

	22 36	☽✱♂	G
23	01 27	☽∥♀	G
Tu	06 15	☽△♄	G
	06 59	☽☌♅	B
	11 06	☽∠♆	b
	11 08	☽#♆	D
	12 33	☽♉	
	13 25	☉⊥♅	
	17 00	☽⊻☉	g
24	00 10	☽∠♂	b
We	01 34	☽∥♅	B
	02 13	☽☌☿	G
	06 22	☽⚼♄	b
	11 13	☽✱♆	G
	11 41	☽∥☿	G
	17 48	☽⊻♀	g
	19 08	☽△♇	G
25	01 06	☽⊻♂	g
Th	03 16	☉⚼♇	
	07 03	☽⊻♅	g
	10 00	☽⚼♃	b
	12 15	☽♊	
	16 22	♀□♇	
	18 41	☽⚼♇	b
	18 50	☽∠♀	b
	19 44	☽☌☉	D
	23 55	☿⚼♄	
26	05 57	☽⊻☿	g
Fr	06 38	☽∠♅	b
	09 26	☽△♃	G
	10 25	☽□♆	B
	18 55	☉#♇	
	19 49	☽✱♀	G
	20 15	♀⊥♆	
27	02 21	☽☌♂	B
Sa	04 53	☽☍♄	B
	06 18	☽✱♅	G
	07 54	☽∠☿	b
	11 24	☽♋	
	19 17	☿⊼♃	
	22 15	☽⊻☉	g
28	07 04	☿✱♆	
Su	08 57	☽□♃	B
	10 07	☽△♆	G
	10 27	☽✱☿	G
	18 05	☽☍♇	B
	23 02	☽□♀	B
29	00 18	☽∠☉	b
Mo	05 01	☽⊻♂	g
	06 55	♂☍♄	
	06 59	☽□♅	B
	10 49	☽⚼♆	b
	12 12	☽♌	
	21 08	♀#♆	
30	03 17	☽✱☉	G
Tu	06 18	☽⚼♄	b
	07 35	☽∠♂	b
	10 56	☽✱♃	G
	18 16	☽∥☿	G
	18 47	☽□☿	B
31	02 39	♂✱♅	
We	05 53	☽△♀	G
	08 23	☽△♄	G
	10 50	☽△♅	G
	11 14	☽✱♂	G
	12 03	☿△♇	
	13 17	☽∠♃	b
	14 54	☉#♄	
	16 16	☽♍	

	16 57	☿±♃	
	20 23	☿±♄	
	23 30	☽⚼♇	b

JUNE

1	03 53	☽∥♅	B
Th	11 05	☽⚼♀	b
	12 42	☽□☉	B
	14 12	☽⚼♅	b
	15 23	♀△♄	
	16 25	☽∥♀	G
	16 35	☽⊻♃	g
	18 15	☽☍♆	B
	21 20	☽#♆	D
2	03 10	☽△♇	G
Fr	08 54	☽△☿	G
	09 55	☉∠♅	
	15 21	☽□♄	B
	15 41	☽#♃	G
	19 17	☿⊥♂	
	21 48	☽□♂	B
3	00 04	☽♎	
Sa	07 32	♀☌♅	
	08 27	☉±♇	
	16 12	☉△♃	
	18 08	☽⚼☿	b
4	01 44	☽☌♃	G
Su	02 33	☽△☉	G
	07 24	☿⊼♄	
	12 52	☽□♇	B
	13 49	☽∥♃	G
	16 13	☉□♆	
	16 16	♂♋	
	19 55	☿Q♆	
5	01 22	☽✱♄	G
Mo	05 10	☽☍♅	B
	08 21	♃Q♄	
	08 57	☽☍♀	B
	08 58	☿⊻♅	
	09 09	☽∥♆	D
	09 14	☽⚼♆	b
	10 42	☽⚼☉	b
	10 46	☽♏	
	11 51	☽△♂	G
	12 32	♀∠♆	
	22 57	☽#♀	G
	23 01	☿⚼♃	
6	04 41	☽#♅	B
Tu	07 05	☽∠♄	b
	07 26	♀♉	
	13 13	☽⊻♃	g
	15 14	☽△♆	G
	19 37	☽⚼♂	b
	22 15	☿♊	
7	00 35	☽✱♇	G
We	13 04	☽⊻♄	g
	14 54	☿⊻♀	
	19 24	☽∠♃	b
	22 59	☽♐	
8	03 36	☽☍☿	B
Th	04 05	☿⊻♂	
	06 47	☽∠♇	b
	16 49	☿⊥♅	
	19 42	♀∥♅	
	23 22	☿⚼♇	
	23 55	☽⚼♅	b
9	01 42	☽✱♃	G
Fr	03 47	☽□♆	B
	11 38	☽⚼♀	b

	11 57	☉⊼♇	
	13 04	☽⊻♇	g
	13 10	☽☍☉	B
	14 02	♃Stat	
	15 41	♀✱♂	
10	01 19	☽☌♄	B
Sa	06 20	☽△♅	G
	11 36	☽♑	
	19 50	☽☍♂	B
	20 42	☽△♀	G
11	14 13	☽□♃	B
Su	16 18	☽✱♆	G
	20 04	☿#♇	
12	01 23	☽☌♇	D
Mo	13 14	☽⊻♄	g
	16 13	☽⚼☿	b
	18 45	☽□♅	B
	22 17	☽∠♆	b
	23 45	☽♒	
13	05 39	☿#♄	
Tu	07 17	☿∠♅	
	10 10	☿±♇	
	14 08	☽□♀	B
	15 09	☽⚼☉	b
	15 45	☿△♃	
	17 55	☿⊥♀	
	18 46	☽∠♄	b
14	01 52	☽△♃	G
We	03 29	☿□♆	
	03 52	☽⊻♆	g
	03 56	☽△☿	G
	12 35	☽⊻♇	g
	18 17	☽⚼♂	b
	22 52	☽△☉	G
	23 49	☽✱♄	G
15	05 40	☽✱♅	G
Th	06 58	☽⚼♃	b
	08 50	☽#♀	G
	10 17	☽♓	
	10 18	☉☍♄	
	17 21	☽∠♇	b
	18 02	♀⚼♄	
	21 58	☽#♅	B
16	00 32	☽△♂	G
Fr	05 08	☽✱♀	G
	05 35	☿⊼♇	
	10 07	☽∠♅	b
	11 07	♆Stat	
	13 10	☽☌♆	D
	17 02	☽∥♆	D
	17 30	☉∥☿	
	21 20	☽✱♇	G
17	00 29	☽□☿	B
Sa	07 44	☽□♄	B
	10 22	☽∥♃	G
	11 09	☽∠♀	b
	11 33	☽□☉	B
	13 43	☽⊻♅	g
	17 55	☽♈	
18	10 03	☽□♂	B
Su	16 01	☽⊻♀	g
	17 28	☽☍♃	B
	18 47	☉✱♅	
	19 04	☽⊻♆	g
	19 07	☿☍♄	
19	01 54	☿∥♂	
Mo	02 37	☽□♇	B
	05 06	☽#♃	G
	09 24	♂Q♅	

	11 49	♀⊼♃	
	12 07	☽△♄	G
	15 20	☽✱☿	G
	18 05	☽☌♅	B
	18 08	☉∠♀	
	19 42	☽✱☉	G
	20 39	☽∠♆	b
	21 05	☽#♆	D
	21 53	☽♉	
20	08 25	♀✱♆	
Tu	09 30	☿✱♅	
	13 01	☽⚼♄	b
	14 24	☽∥♅	B
	15 21	☽✱♂	G
	20 38	☽∠☿	b
	21 25	☽✱♆	G
	22 13	☽∠☉	b
	22 24	☽☌♀	G
21	04 24	☉♋	
We	04 26	☽△♇	G
	09 57	☿♋	
	13 30	☽∥♀	G
	14 14	☉☌☿	
	16 45	☽∠♂	b
	17 55	☿∠♀	
	19 15	☽⊻♅	g
	20 15	☽⚼♃	b
	22 44	☽♊	
	23 59	☽⊻☉	g
22	00 55	☽⊻☿	g
Th	04 24	☽⚼♇	b
	17 38	☽⊻♂	g
	19 05	☽∠♅	b
	20 05	☽△♃	G
	21 18	☽□♆	B
23	01 50	☽⊻♀	g
Fr	12 31	☽☍♄	B
	18 45	☽✱♅	G
	19 01	♀±♄	
	22 07	☽♋	
24	02 31	☽☌☉	D
Sa	03 15	☽∠♀	b
	08 13	☽☌☿	G
	08 59	♀△♇	
	19 09	☽☌♂	B
	19 36	☽□♃	B
	20 42	☽△♆	G
25	03 29	☽☍♇	B
Su	04 56	☽✱♀	G
	06 07	♂□♃	
	09 11	♀±♃	
	18 44	☽□♅	B
	20 52	☽⚼♆	b
	22 06	☽♌	
	23 44	☿Q♅	
26	06 03	☽⊻☉	g
Mo	06 18	♂△♆	
	12 26	☽⚼♄	b
	17 04	☽⊻☿	g
	20 43	☽✱♃	G
	22 26	☽⊻♂	g
	23 00	☽∥♀	G
27	09 00	☽∠☉	b
Tu	10 29	☽□♀	B
	13 38	☽△♄	G
	18 21	☿□♃	
	21 12	☽△♅	G
	22 27	☽∠♃	b
	23 09	☽∠☿	b

28 We	00 22	☿△♆	
	00 41	☽♍	
	01 25	☽∠♂	b
	06 41	☽⚼♇	b
	11 03	☽∥♅	B
	13 03	☽✱☉	G
	19 50	☿☌♂	
	23 48	☽⚼♅	b
29 Th	01 07	♀⚻♄	
	01 09	☽⚺♃	g
	01 57	☽☍♆	B
	05 30	☽✱♂	G
	06 06	☽#♆	D
	06 44	☽✱☿	G
	09 32	☽△♇	G
	18 51	☽□♄	B
	20 34	☽△♀	G
	22 13	☽#♃	G
30 Fr	00 36	☿☍♇	
	07 02	☽♎	
JULY			
1 Sa	00 51	☽□☉	B
	03 31	☽⚼♀	b
	09 32	☽☌♃	G
	12 42	♀Q♆	
	17 03	☽□♂	B
	18 06	☽□♇	B
	18 31	☉Q♅	
	23 39	☽∥♃	G
2 Su	02 16	☽□☿	B
	03 47	☽✱♄	G
	11 29	☿⚻♄	
	12 02	♂☍♇	
	13 16	☽☍♅	B
	15 24	☽⚼♆	b
	16 43	☽∥♆	D
	16 59	☽♏	
	20 21	☿∥♂	
3 Mo	07 23	♀⚺♅	
	09 19	☽∠♄	b
	13 51	☉∥☿	
	14 12	☽#♅	B
	16 46	☽△☉	G
	21 03	☽⚺♃	g
	21 16	☽△♆	G
4 Tu	04 28	♀⚼♃	
	05 29	☽✱♇	G
	07 58	☽△♂	G
	15 16	☽⚺♄	g
5 We	00 11	♀♊	
	00 51	☿□♅	
	01 34	☽△☿	G
	01 35	☽⚼☉	b
	03 27	☽∠♃	b
	04 19	♃⚻♆	
	05 08	☽♐	
	05 38	☽☍♀	B
	11 41	☽∠♇	b
	12 19	☿±♄	
	13 32	☿⚼♆	
	16 00	☽⚼♂	b
6 Th	00 20	☿♌	
	00 46	☉△♆	
	00 53	☿#♄	
	02 44	☉□♃	
	07 51	☽⚼♅	b
	09 46	☽□♆	B
	09 59	☽✱♃	G
	13 30	☽⚼☿	b
	14 45	☽#♀	G
	17 58	☽⚺♇	g
7 Fr	03 34	☽☌♄	B
	04 11	☿#♇	
	07 03	☿Q♃	
	13 19	☿✱♀	
	14 12	☽△♅	G
	17 45	☽♑	
	21 39	♀⚼♇	
8 Sa	21 08	♀⊥♅	
	22 05	☽✱♆	G
	22 45	☽□♃	B
9 Su	04 07	☽☍☉	B
	06 06	☽☌♇	D
	09 26	☽⚼♀	b
	10 09	♂⚻♄	
	15 21	☽⚺♄	g
	15 40	☽☍♂	B
	17 25	☽#♀	G
10 Mo	02 12	☽□♅	B
	03 50	☽∠♆	b
	04 35	☉☍♇	
	05 35	☽♒	
	09 33	☿⚼♄	
	14 33	☿±♆	
	18 03	☽△♀	G
	20 46	☽∠♄	b
	22 38	☽☍☿	B
11 Tu	09 13	☽⚺♆	g
	10 20	☽△♃	G
	16 57	☽⚺♇	g
	18 15	☿∥♀	
12 We	01 46	☽✱♄	G
	06 38	☉#♄	
	12 40	☽✱♅	G
	15 27	☽⚼♃	b
	15 51	☽♓	
	21 41	☽∠♇	b
13 Th	02 49	☽#♅	B
	03 08	☽⚼☉	b
	09 28	☽□♀	B
	11 40	☽⚼♂	b
	17 07	☽∠♅	b
	18 27	☽☌♆	D
	23 05	☽∥♆	D
14 Fr	01 50	☽✱♇	G
	06 19	☿⚻♆	
	09 26	☽△☉	G
	10 08	☽□♄	B
	12 54	☽∥♃	G
	17 00	☽△♂	G
	18 29	☉⚻♄	
	20 32	♂#♄	
	20 46	☿✱♃	
	20 54	☽⚺♅	g
	23 52	☽♈	
15 Sa	00 17	☽⚼☿	b
	07 19	☉#♇	
	17 50	♀∠♂	
	19 24	♀±♇	
	21 40	☽✱♀	G
16 Su	01 08	☽⚺♆	g
	03 03	☽☍♃	B
	06 38	☽△☿	G
	08 06	☽□♇	B
	15 50	☽△♄	G
	17 06	☽#♃	G
	19 26	☽□☉	B
	19 50	☿⚻♇	
17 Mo	01 12	☽□♂	B
	01 38	♀∠♅	
	02 19	☽☌♅	B
	02 23	☽∠♀	b
	03 23	☽∠♆	b
	05 04	☽♉	
	05 44	☽#♆	D
	14 33	♀□♆	
	17 37	☽⚼♄	b
	21 43	♂±♄	
18 Tu	00 19	☽∥♅	B
	01 37	♂□♅	
	04 55	☽✱♆	G
	06 11	☽⚺♀	g
	08 40	♂#♇	
	11 30	☽△♇	G
	16 01	☽□☿	B
	20 09	♀△♃	
	22 51	♂⚼♆	
19 We	01 56	☽✱☉	G
	04 57	☽⚺♅	g
	06 11	☽✱♂	G
	06 25	☽∥☿	G
	07 31	☽♊	
	08 17	☽⚼♃	b
	12 17	☽⚼♇	b
	19 16	☿△♄	
20 Th	00 16	☉∥♀	
	04 10	☽∠☉	b
	05 28	☽∠♅	b
	06 19	☽□♆	B
	07 47	☽∠♂	b
	08 54	☽△♃	G
	11 39	☽☌♀	G
	12 19	♂♌	
	17 07	☉±♄	
	19 32	☽☍♄	B
	22 04	☽✱☿	G
21 Fr	00 17	♀⚻♇	
	00 26	☉□♅	
	00 33	☿±♇	
	05 41	☽✱♅	G
	06 02	☽⚺☉	g
	08 09	☽♋	
	09 03	☽⚺♂	g
	12 49	☉⚼♆	
22 Sa	00 30	☽∠☿	b
	05 13	♀∥♂	
	06 33	☽△♆	G
	09 34	☽□♃	B
	12 50	☽☍♇	B
	15 15	☉♌	
	15 55	☽⚺♀	g
23 Su	02 59	☽⚺☿	g
	06 05	☽□♅	B
	06 48	☽⚼♆	b
	08 34	☽♌	
	09 46	☽☌☉	D
	11 41	☽☌♂	B
	18 22	☽∠♀	b
	20 02	☽⚼♄	b
24 Mo	10 58	☽✱♃	G
	14 54	♀☍♄	
	16 33	☿△♅	
	20 53	☽△♄	G
	21 26	☽✱♀	G
25 Tu	07 58	☽△♅	G
	09 22	☽●☿	G
	10 32	☽♍	
	12 32	☽∠♃	b
	15 16	☽⚼♇	b
	15 17	☽∥☿	G
	15 28	☽⚺☉	g
	16 15	☽⚺♂	g
	20 19	☽∥♅	B
	23 41	☿♍	
26 We	09 59	☽⚼♅	b
	10 36	☽☍♆	B
	14 56	☽⚺♃	g
	15 03	☽#♆	D
	17 28	☽△♇	G
	19 44	☽∠☉	b
	19 51	☽∠♂	b
27 Th	00 51	☽□♄	B
	00 57	☉☌♂	
	01 41	☽#♃	G
	02 00	☿∥♅	
	05 10	☉Q♃	
	05 18	♀#♇	
	05 26	☿∠♃	
	06 31	☽□♀	B
	07 43	♂Q♃	
	15 37	☽♎	
	19 17	☽⚺☿	g
28 Fr	00 32	☽✱♂	G
	01 08	☽✱☉	G
	11 08	☿⚼♇	
	22 35	☽☌♃	G
29 Sa	00 38	☽□♇	B
	01 50	☽∠☿	b
	08 26	☽✱♄	G
	15 00	☽∥♃	G
	16 39	☉⚼♄	
	20 25	☽△♀	G
	21 30	☽☍♅	B
	22 01	☽⚼♆	b
30 Su	00 23	☽♏	
	02 00	☽∥♆	D
	08 04	♀✱♅	
	09 21	☽✱☿	G
	10 41	☽#☿	G
	13 02	☽□♂	B
	13 32	☽∠♄	b
	15 23	☽□☉	B
	18 24	☉±♆	
	21 49	♂⚼♄	
	23 04	☽#♅	B
31 Mo	03 29	☽△♆	G
	05 00	☽⚼♀	b
	09 46	☽⚺♃	g
	11 10	☽✱♇	G
	14 54	♀♋	
	19 15	☽⚺♄	g
AUGUST			
1 Tu	12 01	☽♐	
	12 34	♂±♆	
	16 14	☽∠♃	b
	17 15	☽∠♇	b
2 We	01 57	☿#♆	
	02 00	☽□☿	B
	04 30	☽△♂	G
	08 44	☽△☉	G
	15 21	☽⚼♅	b
	15 30	♀#♄	
	15 43	☽□♆	B
	16 44	☽#☉	G
	20 53	♀⊥♂	
	22 55	☽✱♃	G
	23 31	☽⚺♇	g
3 Th	05 28	♅ Stat	
	07 37	☽☌♄	B
	12 33	☽⚼♂	b
	17 42	☽⚼☉	b
	20 12	☽#♂	B
	21 38	☽△♅	G
4 Fr	00 37	☽♑	
	09 22	☽☍♀	B
	18 22	☽△☿	G
	18 48	♃□♇	
5 Sa	03 58	☽✱♆	G
	07 02	☿#♃	
	11 37	☽☌♇	D
	11 51	☽□♃	B
	19 31	☽⚺♄	g
	21 31	☉⚻♆	
6 Su	01 18	☽#♂	B
	01 42	☽⚼☿	b
	09 22	☽□♅	B
	09 34	☽∠♆	b
	12 15	☽♒	
7 Mo	00 51	☽∠♄	b
	09 37	☽#☉	G
	10 41	☽☍♂	B
	14 40	☽⚺♆	g
	18 11	☽●☉	B
	22 05	☽⚺♇	g
	23 06	☽△♃	G
8 Tu	05 40	☽✱♄	G
	10 43	☽⚼♀	b
	19 07	☽✱♅	G
	20 06	♀#♄	
	21 56	☽♓	
9 We	02 30	☽∠♇	b
	03 53	☽⚼♃	b
	08 41	☽#♅	B
	16 11	♀Q♅	
	17 45	☽△♀	G
	18 51	☽☍☿	B
	20 10	☉⚻♇	
	23 10	☽∠♅	b
	23 14	☽☌♆	D
10 Th	03 47	☽∥♆	D
	06 22	☽✱♇	G
	09 03	☿✱♀	
	10 52	☽∥♃	G
	13 31	♂⚻♆	
	13 38	☽□♄	B
	21 24	☉✱♃	
	23 12	☽#☿	G
11 Fr	02 39	☽⚺♅	g
	03 22	☽⚼♂	b
	05 22	☽♈	
	12 39	☽⚼☉	b
	21 49	♅∠♆	
12 Sa	05 17	♀△♆	
	05 35	☽⚺♆	g
	05 36	☽□♀	B
	07 39	☽△♂	G
	12 27	☽□♇	B
	14 48	☽☍♃	B
	16 17	☽∥☿	G
	17 27	☽△☉	G
	19 26	☽△♄	G
13 Su	01 00	☿ Stat	
	04 47	☽⚼☿	b

	05 02	☉⊥♀	
	07 02	☽#♃	G
	07 58	☽∠♆	b
	08 01	☽☌♅	B
	10 40	☽♉	
	13 00	☽#♆	D
	21 06	☉△♄	
	21 35	☽⚻♄	b
14	06 39	☽∥♅	B
Mo	06 42	☽△☿	G
	06 43	♀⊻♂	
	09 08	♀#♇	
	09 54	☽⚹♆	G
	14 30	☽□♂	B
	14 49	☽⚹♀	G
	16 34	☽△♇	G
15	01 15	☽□☉	B
Tu	06 18	☽∥☉	G
	11 17	♀☍♇	
	11 30	☽⊻♅	g
	14 06	☽♊	
	17 59	☽⚻♇	b
	18 36	☽∠♀	b
	21 12	☽⚻♃	b
	23 11	☉±♇	
16	05 37	☽∥♂	B
We	08 49	☽□☿	B
	10 37	♂⊽♇	
	12 34	☽□♆	B
	12 42	☽∠♅	b
	19 29	☽⚹♂	G
	21 16	♃±♆	
	21 57	☽⊻♀	g
	22 35	☽△♃	G
17	01 40	☽☍♄	B
Th	06 40	♀□♃	
	07 13	☽⚹☉	G
	13 38	☽⚹♅	G
	16 13	☽♋	
	21 33	☽∠♂	b
18	09 19	☽⚹☿	G
Fr	09 50	☽∠☉	b
	14 17	☽△♆	G
	18 55	♀⊽♄	
	20 45	☽☍♇	B
	23 31	☽⊻♂	g
19	00 52	☽□♃	B
Sa	04 05	☽☌♀	G
	09 16	☽∠☿	b
	12 27	☽⊻☉	g
	15 05	☽⚻♆	b
	15 17	☽□♅	B
	17 55	☽♌	
20	04 15	☽⚻♄	b
Su	09 12	☽⊻☿	g
	15 42	☽∥♂	B
	16 42	♂⚹♃	
	22 58	☿∠♀	
21	03 32	☽⚹♃	G
Mo	03 55	☽☌♂	B
	05 26	☽△♄	G
	06 22	☉△♅	
	10 49	☽⊻♀	g
	17 39	☽△♅	G
	18 30	☽•●	D
	20 25	☽♍	
	21 22	☽∥☉	G
22	00 10	☽⚻♇	b
Tu	05 28	☽∠♃	b
	06 33	☽∥♅	B
	09 40	☽☌☿	G
	13 21	♂△♄	
	15 00	☽∠♀	b
	19 16	☽☍♆	B
	19 33	☽⚻♅	b
	22 20	☉♍	
	23 25	☽#♆	D
23	02 13	☽△♇	G
We	02 23	☽#♃	G
	08 01	☽⊻♃	g
	09 18	☽□♄	B
	10 18	☽⊻♂	g
	14 32	☽∥☿	G
	19 43	♀±♄	
	20 02	☽⚹♀	G
24	01 04	☽♎	
Th	03 10	☽⊻☉	g
	11 50	☽⊻☿	g
	14 43	☽∠♂	b
	15 33	♀⚻♆	
	18 05	☿∠♃	
	19 01	♀□♅	
25	03 32	☉⚻♇	
Fr	08 32	☽□♇	B
	08 57	☽∠☉	b
	10 15	☿⊥♀	
	12 08	♄ Stat	
	13 50	☽∠☿	b
	14 26	♂±♇	
	15 31	☽☌♃	G
	16 08	☽⚹♄	G
	20 05	☽⚹♂	G
26	01 54	☽#☿	G
Sa	04 30	♀♌	
	05 18	☽⚻♆	b
	05 39	☽☍♅	B
	06 44	☉∥♅	
	08 53	☽♏	
	09 20	☽□♀	B
	10 09	☽∥♃	G
	12 15	☽∥♆	D
	15 48	☽⚹☉	G
	16 29	☽⚹☿	G
	20 42	☉☌☿	
	20 48	☽∠♄	b
27	04 33	☽#☉	G
Su	06 41	☽#♅	B
	10 16	☽△♆	G
	12 15	♃⚹♄	
	18 08	☽⚹♇	G
28	02 14	☽⊻♄	g
Mo	02 26	☽⊻♃	g
	07 14	☿⊻♀	
	09 38	☽□♂	B
	13 08	☽#♂	B
	19 38	☿⚻♇	
	19 47	☽♐	
	23 41	☽□☿	B
	23 58	☽∠♇	b
29	02 48	☽△♀	G
Tu	04 43	☿#♃	
	08 13	☽□☉	B
	08 53	☽∠♃	b
	13 01	☿#♆	
	18 10	☉∠♃	
	22 00	☽□♆	B
	22 26	☽⚻♅	b
30	06 10	☽⊻♇	g
We	12 27	☽⚻♀	b
	14 32	☽☌♄	B
	15 38	☽⚹♃	G
	23 30	☽#♀	G
31	01 27	☽△♂	G
Th	04 42	☽△♅	G
	08 18	☽♑	
	08 40	☽△☿	G
	09 15	♀⚻♄	
	10 41	☉∥☿	
	15 28	☿♌	
SEPTEMBER			
1	00 24	♀±♆	
Fr	02 06	☽△☉	G
	02 27	♃∥♆	
	09 20	☽⚻♂	b
	10 21	☽⚹♆	G
	13 24	☽⚻☿	b
	18 29	☽☌♇	D
2	02 49	☽⊻♄	g
Sa	04 47	☽□♃	B
	10 35	☽⚻☉	b
	12 13	♂△♅	
	16 02	☽∠♆	b
	16 30	☽□♅	B
	16 30	☉#♃	
	18 11	☽#♀	G
	20 06	☽♒	
	22 35	☉#♆	
3	08 17	☽∠♄	b
Su	09 38	☿☌♂	
	15 49	☽☍♀	B
	21 06	☽⊻♆	g
4	00 10	♀Q♃	
Mo	04 58	☽⊻♇	g
	13 04	☽⚹♄	G
	13 54	☿∥♅	
	15 44	☽△♃	G
5	00 37	☽#♂	B
Tu	01 56	☽⚹♅	G
	02 33	☽☍☿	B
	05 15	☽☍♂	B
	05 28	☉☍♆	
	05 28	☽♓	
	09 10	☽∠♇	b
	09 35	♂♍	
	11 25	☉⚻♅	
	11 29	☿ Stat	
	14 52	☽#☿	G
	17 04	☽#♅	B
	20 06	☽⚻♃	b
	21 33	♀⊽♆	
6	05 07	☽☌♆	D
We	05 34	☽∠♅	b
	07 03	☽☍☉	B
	07 18	☽∥♃	G
	09 10	☽∥♆	D
	12 40	☽⚹♇	G
	17 30	☽#☉	G
	20 29	☽□♄	B
7	08 32	☽⊻♅	g
Th	11 34	☽⚻♀	b
	12 01	☽♈	
8	10 31	☽⊻♆	g
Fr	11 28	♂⚻♇	
	12 52	☽⚻☿	b
	16 30	☽△♀	G
	17 26	☉⊻♀	
	17 49	☽□♇	B
	18 08	☽⚻♂	b
9	01 27	☽△♄	G
Sa	05 15	☽☍♃	B
	06 43	☽∥☉	G
	07 23	♀⊽♇	
	10 45	☉△♇	
	12 28	☽∠♆	b
	12 54	☽☌♅	B
	15 52	☽△☿	G
	16 23	☽♉	
	20 03	☽#♆	D
	20 23	☽⚻☉	b
	21 16	☽△♂	G
	23 07	☽#♃	G
10	02 52	☿♍	
Su	03 19	☽⚻♄	b
	06 44	☉⊥♃	
	10 42	☽∥♅	B
	14 07	☽⚹♆	G
	17 23	☽∥☿	G
	17 49	☽∥♂	B
	21 19	☽△♇	G
	23 54	☽△☉	G
11	00 54	☽□♀	B
Mo	02 05	☿∥♂	
	15 58	☽⊻♅	g
	19 29	☽♊	
	21 49	☽∥♀	G
	21 54	☽□☿	B
	22 45	☽⚻♇	b
12	02 42	☽□♂	B
Tu	10 26	☿⚻♇	
	11 01	☽⚻♃	b
	16 53	☽□♆	B
	17 18	☽∠♅	b
13	00 50	♀△♄	
We	06 25	☽□☉	B
	07 47	☽☍♄	B
	08 25	☽⚹♀	G
	12 43	☽△♃	G
	18 35	☽⚹♅	G
	22 12	☽♋	
14	02 58	☉□♄	
Th	04 41	☽⚹☿	G
	05 26	♀±♇	
	07 48	☽⚹♂	G
	11 30	☉±♅	
	12 10	☽∠♀	b
	19 31	☽△♆	G
15	02 50	☽☍♇	B
Fr	08 34	☽∠☿	b
	10 26	☽∠♂	b
	13 00	☽⚹☉	G
	16 02	☽⊻♀	g
	16 18	☽□♃	B
	19 44	♀⚹♃	
	20 59	☽⚻♆	b
	21 23	☽□♅	B
16	00 11	♂∥♅	
Sa	01 09	☽♌	
	11 02	☿∥♅	
	12 23	☽⚻♄	b
	12 54	☽⊻☿	g
	13 16	☽⊻♂	g
	16 33	☽∠☉	b
	19 01	☿☌♂	
17	02 37	☿∥♂	
Su	14 18	☽△♄	G
	20 23	☽⊻☉	g
	20 37	☽⚹♃	G
	20 43	☽∥♀	G
18	00 17	☉⊻♃	
Mo	00 34	☽•♀	G
	00 55	☽△♅	G
	04 27	♀△♅	
	04 52	☽♍	
	08 09	☽⚻♇	b
	16 43	☽∥♅	B
	19 48	☽•♂	B
	20 35	☽∥♂	B
	22 32	☿∠♃	
	23 09	☽∥☿	G
	23 15	☽∠♃	b
	23 20	☽•☿	G
19	00 04	☽#♃	G
Tu	02 46	☽☍♆	B
	03 09	☽⚻♅	b
	05 41	☿#♃	
	06 34	☽#♆	D
	10 34	☽△♇	G
	19 10	☽□♄	B
20	01 15	♀♍	
We	02 22	☽⊻♃	g
	03 49	☿☍♆	
	05 30	☽☌☉	D
	06 50	☿⚻♅	
	10 06	☽♎	
	10 21	☉⊽♅	
	11 00	☽⊻♀	g
	18 18	♂#♃	
	21 19	☽∥☉	G
21	04 21	☽⊻♂	g
Th	04 58	☽#☉	G
	05 59	☿#♆	
	13 08	☽⊻☿	g
	13 57	♀⚻♇	
	17 00	☽□♇	B
	17 20	☽∠♀	b
22	02 12	☽⚹♄	G
Fr	09 42	☽∠♂	b
	10 27	☽☌♃	G
	12 43	☽⚻♆	b
	13 04	☽☍♅	B
	16 44	☽#☿	G
	17 28	☽⊻☉	g
	17 40	☽♏	
	18 01	☿△♇	
	20 02	☉♎	
	21 43	☽∠☿	b
	22 19	☽∥♆	D
23	00 35	☽⚹♀	G
Sa	02 25	☽#♂	B
	06 44	☽∠♄	b
	07 15	☽∥♃	G
	07 25	♂∠♃	
	12 49	☽#♅	B
	15 53	☽⚹♂	G
	17 22	☽△♆	G
	18 14	☽#♀	G
24	00 47	☽∠☉	b
Su	02 08	☽⚹♇	G
	07 33	☽⚹☿	G
	12 00	☽⊻♄	g
	19 49	♂☍♆	
	21 27	☽⊻♃	g
	21 46	☿⊥♃	
25	01 58	♂⚻♅	

Mo	04 01	☽♐	
	07 43	☽∠♇	b
	08 13	☿±♅	
	08 58	☽✱☉	G
	14 36	☿□♄	
	16 20	♂#♆	
	17 05	♀∥♅	
	17 55	☽□♀	B
26 Tu	03 56	☽∠♃	b
	04 36	☽□♆	B
	04 55	☽⚼♅	b
	06 31	☽□♂	B
	13 48	☽⊻♇	g
	23 14	♀#♃	
27 We	00 15	☽☌♄	B
	06 10	☽□☿	B
	10 46	☽✱♃	G
	11 08	☽△♅	G
	14 37	♃⚼♆	
	16 24	☽♑	
28 Th	02 54	☽□☉	B
	04 25	♃☍♅	
	13 29	☽△♀	G
	13 55	☿⚻♅	
	15 22	☿⊻♃	
	17 08	☽✱♆	G
	19 38	♇ Stat	
	22 35	☽△♂	G
29 Fr	00 02	☉#☿	
	02 27	☽☌♇	D
	13 05	☽⊻♄	g
	22 59	☽⚼♀	b
	23 07	☽∠♆	b
	23 20	☽□♅	B
30 Sa	00 12	♀☍♆	
	00 13	☽□♃	B
	00 42	☿♎	
	02 18	♀⚼♅	
	04 40	☽♒	
	05 22	☽△☿	G
	06 11	☽⚼♂	b
	13 24	♀∠♃	
	14 58	♀#♆	
	18 53	☽∠♄	b
	20 06	☽△☉	G

OCTOBER

1 Su	04 30	☽⊻♆	g
	13 33	☽⊻♇	g
	15 38	☽⚼☿	b
	23 36	♂△♇	
	23 56	☽✱♄	G
2 Mo	03 25	☽⚼☉	b
	09 13	☽✱♅	G
	11 13	☽△♃	G
	14 26	☽♓	
	17 54	☽∠♇	b
	19 02	♃#♅	
3 Tu	04 10	☽∥♃	G
	04 23	☽#♅	B
	09 57	☉Q♄	
	12 45	☽☌♆	D
	12 52	☽∠♅	b
	15 19	☽⚼♃	b
	16 38	☽∥♆	D
	19 09	♀△♇	
	21 20	☽✱♇	G
	21 34	☽☍♀	B
	23 36	☽☍♂	B
4 We	01 47	☽#♀	G
	04 59	☽#♂	B
	07 19	☽□♄	B
	11 32	☽∥☉	G
	15 37	☽⊻♅	g
	20 40	☽♈	
	23 49	☽∥☿	G
5 Th	03 09	☉⚻♆	
	14 01	☽☍☿	B
	16 53	♀☌♂	
	17 33	☽⊻♆	g
	18 40	☽☍☉	B
	21 19	☿Q♄	
6 Fr	01 46	☽□♇	B
	03 11	☽#☿	G
	06 20	☉#♂	
	08 13	☉#♀	
	11 26	☽△♄	G
	13 41	♀∥♂	
	13 43	☽∥♀	G
	13 43	☽∥♂	B
	14 50	☽#☉	G
	17 44	☿⚻♆	
	18 58	☽∠♆	b
	18 58	☽☌♅	B
	22 38	☽☍♃	B
	23 56	☽♉	
7 Sa	04 17	♀±♅	
	04 31	☽#♆	D
	07 14	♅∠♆	
	08 43	☽⚼♂	b
	10 33	☽⚼♀	b
	12 42	☽⚼♄	b
	15 14	☽∥♅	B
	17 48	☽#♃	G
	19 58	☽✱♆	G
	22 48	☿#♀	
8 Su	04 01	☽△♇	G
	06 02	☿#♂	
	10 46	☽△♂	G
	11 59	♂±♅	
	12 54	♀□♄	
	13 45	☽△♀	G
	20 43	☽⊻♅	g
	20 54	☉☌☿	
9 Mo	01 44	☽♊	
	03 27	☽⚼☉	b
	03 50	☽⚼☿	b
	04 51	☽⚼♇	b
	09 01	♀⊥♃	
	12 26	☿□♇	
	21 29	☽∠♅	b
	21 34	☽□♆	B
10 Tu	00 11	☉□♇	
	02 26	☽⚼♃	b
	03 30	☿±♆	
	06 08	☽△☉	G
	08 04	☽△☿	G
	13 20	♃♏	
	14 47	☽□♂	B
	15 41	☽☍♄	B
	20 12	☽□♀	B
	22 25	☽✱♅	G
11 We	01 54	☉±♆	
	03 38	☽♋	
	03 51	☽△♃	G
	13 37	♂□♄	
	15 40	☉∥☿	
	21 04	♀⚻♅	
	23 45	☽△♆	G
12 Th	08 13	☽☍♇	B
	12 25	☽□☉	B
	14 52	☿∥♆	
	17 33	☽□☿	B
	19 52	☽✱♂	G
13 Fr	01 10	☽□♅	B
	01 21	☽⚼♆	b
	03 02	☿✱♄	
	04 00	☽✱♀	G
	06 41	☽♌	
	07 43	☽□♃	B
	13 25	☉∥♆	
	20 43	☽⚼♄	b
	23 04	☽∠♂	b
	23 07	☿⊻♂	
14 Sa	08 40	☽∠♀	b
	10 11	♀♎	
	16 31	♂⊥♃	
	20 34	☽✱☉	G
	23 11	☽△♄	G
15 Su	02 33	☿#♅	
	02 43	☽⊻♂	g
	05 07	☽✱☿	G
	05 27	☽△♅	G
	05 45	♀⊻♃	
	07 52	☿☍♅	
	10 05	☿⚼♆	
	11 19	☽♍	
	13 14	☽✱♃	G
	13 52	☽⊻♀	g
	14 45	☽⚼♇	b
	18 56	☽#♃	G
	22 35	☽#☿	G
16 Mo	01 24	☽∠☉	b
	02 14	☽∥♅	B
	06 45	☽#☉	G
	08 13	☽⚼♅	b
	08 32	☽☍♆	B
	11 13	☉✱♄	
	11 44	☽∠☿	b
	12 34	☽#♆	D
	16 38	☽∠♃	b
	17 44	☽△♇	G
	21 53	☿∥♃	
17 Tu	05 23	☽□♄	B
	06 45	☽⊻☉	g
	07 58	☿♏	
	10 02	♂⚻♅	
	11 27	☽☌♂	B
	17 35	☽♎	
	18 57	☽⊻☿	g
	20 29	☽⊻♃	g
	20 33	☽∥♂	B
18 We	01 57	☽☌♀	G
	05 53	☉#♅	
	06 29	☽#♀	G
	08 54	☿☌♃	
	12 36	☽∥♀	G
	20 33	☽#♂	B
19 Th	01 02	☽□♇	B
	13 24	☽✱♄	G
	17 35	☉☍♅	
	19 04	☽☍♅	B
	19 12	☽☌☉	D
	19 33	☽⚼♆	b
	22 16	☽⊻♂	g
	22 18	☿⊥♂	
	23 36	☉⚼♆	
20 Fr	01 41	☽♏	
	05 41	☽☌♃	G
	07 20	☽∥♆	D
	09 45	☿Q♇	
	11 23	☽☌☿	G
	13 39	♀#♂	
	16 35	☽⊻♀	g
	17 45	☽#♅	B
	18 12	☽∠♄	b
21 Sa	00 14	☽△♆	G
	00 38	☽∥☉	G
	04 36	☽∠♂	b
	04 54	☽∥♃	G
	10 23	☽✱♇	G
	23 34	☽⊻♄	g
22 Su	01 02	☽∠♀	b
	04 40	☽∥☿	G
	10 23	☽⊻☉	g
	11 35	☽✱♂	G
	11 57	☽♐	
	15 54	☽∠♇	b
	17 10	☽⊻♃	g
	18 29	♂♎	
	19 29	☿∠♄	
23 Mo	05 15	☉∥♃	
	05 27	☉♏	
	06 56	☽⊻☿	g
	10 14	☽✱♀	G
	10 36	☽⚼♅	b
	11 17	☽□♆	B
	19 01	☽∠☉	b
	20 11	♀⚻♆	
	21 56	☽⊻♇	g
	23 43	♀Q♄	
	23 45	☽∠♃	b
24 Tu	00 27	☉⊻♂	
	11 55	☽☌♄	B
	15 55	☿△♆	
	16 44	☽△♅	G
	17 44	☽∠☿	b
25 We	00 12	☽♑	
	03 14	☽□♂	B
	04 08	☽✱☉	G
	06 41	☽✱♃	G
	23 55	☽✱♆	G
26 Th	04 49	☽✱☿	G
	06 06	☽□♀	B
	10 49	☽☌♇	D
	18 09	☉☌♃	
27 Fr	01 13	☽⊻♄	g
	05 22	☽□♅	B
	06 15	☽∠♆	b
	12 59	☽♒	
	19 21	☽△♂	G
	20 30	☽□♃	B
	21 30	☽∥☿	G
	22 22	☽□☉	B
28 Sa	03 21	♀□♇	
	03 25	☿✱♇	
	03 42	☿⊻♀	
	07 29	☽∠♄	b
	07 29	☉Q♇	
	12 10	☽⊻♆	g
	14 19	♀±♆	
	22 51	☽⊻♇	g
	23 16	☿⊥♄	
29 Su	01 02	☽△♀	G
	01 35	☽□☿	B
	02 36	☽⚼♂	b
	04 16	♂⊻♃	
	13 01	☽✱♄	G
	13 21	☽∥☉	G
	15 04	☿∠♂	
	16 22	☽✱♅	G
	23 46	☽♓	
30 Mo	01 22	☽∥♃	G
	03 45	☽∠♇	b
	07 54	☽△♃	G
	08 57	☽⚼♀	b
	13 34	☽△☉	G
	17 28	☽#♅	B
	20 32	☽∠♅	b
	21 32	☽☌♆	D
31 Tu	02 10	☽∥♆	D
	07 38	☽✱♇	G
	09 14	☽∥♀	G
	12 04	☽⚼♃	b
	17 21	☽△☿	G
	19 16	☽⚼☉	b
	21 08	☽□♄	B
	23 41	☽⊻♅	g

NOVEMBER

1 We	06 43	☽♈	
	14 28	☽∥♂	B
	17 43	☽☍♂	B
	22 37	☉∠♄	
	22 58	☽⚼☿	b
2 Th	02 50	☽⊻♆	g
	05 16	☿⊻♄	
	05 47	☽#♂	B
	12 18	☽□♇	B
	23 44	♀∥♆	
3 Fr	00 30	☽☍♀	B
	01 02	☿⚻♅	
	01 09	☽△♄	G
	03 03	☽☌♅	B
	04 05	☽∠♆	b
	07 29	♃Q♇	
	08 31	♀✱♄	
	09 46	☽♉	
	15 05	☽#♆	D
	16 51	☽#♀	G
	18 26	☽☍♃	B
	19 23	☉△♆	
	22 25	☽∥♅	B
4 Sa	02 00	☽⚼♄	b
	04 42	☽✱♆	G
	05 02	♀☍♅	
	05 23	☽☍☉	B
	13 49	☽△♇	G
	15 08	☽#♃	G
	17 35	♀⚼♆	
	23 44	☽⚼♂	b
5 Su	03 48	☽⊻♅	g
	08 35	☿∥♇	
	09 28	☽☍☿	B
	10 26	☽♊	
	13 58	☽⚼♇	b
	14 23	☽#☉	G
	19 19	☿♐	
	20 55	♀#♅	
6 Mo	00 53	☽△♂	G
	03 48	☽∠♅	b
	04 57	☽□♆	B
	08 12	☽⚼♀	b
	20 04	☽⚼♃	b
	20 32	☿∥♄	

7 Tu	01 00	☿±♅	
	02 57	☽☍♄	B
	03 54	☽✱♅	G
	08 27	☿∠♇	
	10 39	☽△♀	G
	10 44	☽♋	
	11 07	☽⚼☉	b
	11 38	♀♏	
	20 47	☽△♃	G
8 We	03 39	☽□♂	B
	05 36	☽△♆	G
	13 34	☽△☉	G
	15 06	☽☍♇	B
	18 27	☽⚼☿	b
9 Th	05 14	☽□♅	B
	06 36	☽⚼♆	b
	06 39	☉⊥♂	
	12 12	☉✱♇	
	12 29	☽☊	
	17 14	☽□♀	B
	22 36	☽△☿	G
	23 46	☽□♃	B
10 Fr	00 10	♂∇♆	
	03 08	☽#☉	G
	06 29	☽⚼♄	b
	08 35	☽✱♂	G
	12 07	☿⊻♃	
	20 36	☽□☉	B
11 Sa	08 55	☽△♄	G
	08 55	☽△♅	G
	09 45	♄△♅	
	12 10	☽∠♂	b
	12 53	☽#♃	G
	16 41	☽♍	
	17 43	♀Q♇	
	18 14	☽#♀	G
	20 51	☽⚼♇	b
	21 28	☉⊥♄	
12 Su	03 07	☽✱♀	G
	05 26	☽✱♃	G
	09 31	☽□☿	B
	11 13	☽∥♅	B
	11 45	☽⚼♅	b
	13 23	☽☍♆	B
	16 29	☽⊻♂	g
	18 28	☽#♆	D
13 Mo	00 05	☽△♇	G
	06 30	☿⚼♅	
	06 55	☽✱☉	G
	08 15	♀☌♃	
	09 15	☽∠♃	b
	09 21	☽∠♀	b
	15 26	☽#♂	B
	15 45	☽□♄	B
	18 04	♂Q♄	
	20 47	☿⊥♇	
	22 47	☿□♆	
	23 26	☽♎	
14 Tu	00 55	♀∥♃	
	13 12	☽∠☉	b
	13 40	☽⊻♃	g
	16 20	☽⊻♀	g
	23 37	☽✱☿	G
15 We	03 09	☽☌♂	B
	08 12	☽□♇	B
	17 12	☿⊥♃	
	19 58	☽∥♂	B
	20 07	☽⊻☉	g
	23 36	☽☍♅	B

16 Th	00 50	☽✱♄	G
	01 32	☽⚼♆	b
	07 37	☽∠☿	b
	08 19	☽♏	
	09 06	♀∠♄	
	14 51	☽∥♆	D
	15 21	♀△♆	
	22 12	☽#♅	B
17 Fr	00 02	☽☌♃	G
	06 06	☽∠♄	b
	06 33	☽△♆	G
	08 17	☽☌♀	G
	14 04	☉∇♅	
	14 24	☿✱♂	
	16 04	☽⊻♂	g
	16 09	☽⊻☿	g
	18 15	☽✱♇	G
18 Sa	02 20	☽∥♃	G
	11 42	☽☌☉	D
	11 48	☽⊻♄	g
	12 50	☿⊻♇	
	13 03	☉⊻♄	
	15 26	☽∥♀	G
	18 59	☽♐	
	23 17	☽∠♂	b
	23 56	☽∠♇	b
19 Su	10 55	♂±♆	
	12 14	☽⊻♃	g
	12 15	♂□♇	
	15 36	☽⚼♅	b
	17 51	☽□♆	B
20 Mo	02 37	☽⊻♀	g
	06 01	☽⊻♇	g
	06 58	☽✱♂	G
	10 37	☽☌☿	G
	18 57	☽∠♃	b
	21 43	☽△♅	G
21 Tu	00 26	☽☌♄	B
	05 23	☽⊻☉	g
	07 14	☽♑	
	11 29	♀✱♇	
	12 31	☽∠♀	b
22 We	01 57	☽✱♃	G
	03 05	☉♐	
	06 32	☽✱♆	G
	14 19	♆Stat	
	14 44	☽∠☉	b
	19 00	☽☌♇	D
	22 41	☽✱♀	G
	23 16	☽□♂	B
23 Th	05 58	☽⊻☿	g
	08 15	☉±♅	
	09 10	♀⊻♂	
	10 33	☽□♅	B
	13 04	☽∠♆	b
	14 00	☽⊻♄	g
	20 14	☽♒	
24 Fr	00 05	☽✱☉	G
	05 23	♀⊥♄	
	14 46	☽∥♀	G
	15 11	☽∠☿	b
	15 56	☽□♃	B
	17 37	☉∠♇	
	19 23	☽⊻♆	g
	20 35	☽∠♄	b
25 Sa	02 46	☿∠♃	
	07 44	☽⊻♇	g
	10 56	☿△♅	
	15 05	☽△♂	G

	18 12	☽□♀	B
	21 39	☽∥♃	G
	22 34	☽✱♅	G
	23 32	☽✱☿	G
26 Su	02 37	☽✱♄	G
	08 04	☽♓	
	13 17	☽∠♇	b
	17 03	☽□☉	B
	21 55	☽⚼♂	b
27 Mo	03 34	☽∠♅	b
	03 52	☽△♃	G
	05 55	☽#♅	B
	06 08	☽☌♆	D
	11 48	♀∇♅	
	12 20	☽∥♆	D
	14 13	☽∥♂	B
	17 54	☽✱♇	G
28 Tu	06 58	☿☌♄	
	07 33	☽⊻♅	g
	08 21	☽⚼♃	b
	09 41	☽△♀	G
	11 56	☽□♄	B
	12 09	☽□☿	B
	16 30	☽♈	
	22 12	♂∥♆	
29 We	05 22	☽△☉	G
	11 11	♀⊻♄	
	12 57	☽⊻♆	g
	15 16	☽⚼♀	b
	23 53	☽□♇	B
30 Th	06 00	☿⊻♀	
	09 27	☽⚼☉	b
	11 13	☽☍♂	B
	12 16	☽☌♅	B
	14 44	☽∠♆	b
	16 50	☽△♄	G
	17 59	☉∥♇	
	18 37	☽△☿	G
	20 38	☽♉	
DECEMBER			
1 Fr	02 40	☽#♆	D
	05 33	☽#♂	B
	08 07	☽∥♅	B
	09 14	♀♐	
	10 05	♂☍♅	
	15 08	☽☍♃	B
	15 36	☽✱♆	G
	17 49	☽⚼♄	b
	19 53	☽⚼☿	b
	23 54	☉⚼♅	
2 Sa	01 53	☽△♇	G
	03 59	♀±♅	
	13 21	☽⊻♅	g
	14 12	☽#♃	G
	21 21	☽♊	
	22 36	♀⊥♂	
	23 22	☉∠♂	
3 Su	00 37	☽☍♀	B
	01 53	☽⚼♇	b
	02 19	♃△♆	
	05 18	♂#♅	
	07 33	☿Stat	
	11 44	☉□♆	
	13 04	☽∠♅	b
	14 01	☉⊻♃	
	15 21	☽⚼♂	b
	15 31	☽□♆	B
	15 47	☽☍☉	B

	16 11	♀∠♇	
	19 23	♂⚼♆	
	20 50	☉⊥♇	
4 Mo	12 37	☽✱♅	G
	15 35	☽⚼♃	b
	15 57	☽△♂	G
	17 46	☽☍♄	B
	19 13	☽☍☿	B
	20 37	☽♋	
5 Tu	14 50	☽△♆	G
	15 38	☽△♃	G
6 We	01 07	☽☍♇	B
	03 20	☉∥♄	
	06 14	☽⚼♀	b
	12 05	☿☌♄	
	12 17	☽□♅	B
	14 57	☽⚼♆	b
	15 58	☿✱♂	
	17 56	☽□♂	B
	20 29	☽⚼☉	b
	20 37	☽☊	
	21 21	♂✱♄	
7 Th	09 01	☽△♀	G
	17 10	☽□♃	B
	17 22	☽⚼☿	b
	19 02	☽⚼♄	b
	20 05	☿∠♃	
	23 15	☽△☉	G
8 Fr	09 10	☽#♃	G
	14 13	☽△♅	G
	17 20	☽△☿	G
	20 50	☽△♄	G
	22 40	☽✱♂	G
	23 09	☽♍	
9 Sa	04 27	☽⚼♇	b
	04 41	♀⚼♅	
	08 59	♂♏	
	09 46	☉∥☿	
	11 36	☽#♂	B
	16 23	☽⚼♅	b
	17 37	☽□♀	B
	19 29	☽☍♆	B
	20 17	☽∥♅	B
	21 50	☽✱♃	G
	22 58	☉⊻♇	
10 Su	01 56	☽#♆	D
	02 28	☽∠♂	b
	06 54	♀∥♇	
	07 12	☽△♇	G
	07 18	☿∥♄	
	07 51	☽□☉	B
	09 29	☿△♅	
	13 47	♀□♆	
	18 34	☽□☿	B
	22 41	☉⊥♃	
11 Mo	00 03	♀⊥♇	
	01 29	☽∠♃	b
	03 02	☽□♄	B
	05 01	☽♎	
	07 16	☽⊻♂	g
	14 31	☿∥♀	
	22 16	♀⊻♃	
12 Tu	05 59	☽⊻♃	g
	06 42	☽✱♀	G
	07 19	☿∥♇	
	15 09	☽□♇	B
	20 39	☽✱☉	G
	21 32	☽✱☿	G
13	01 49	☉☌☿	

We	03 49	☽☍♅	B
	07 22	☽⚼♆	b
	12 27	☽✱♄	G
	13 59	☽♏	
	14 43	☽∠♀	b
	19 23	☽☌♂	B
	21 07	☽∥♆	D
	23 40	☽∠☿	b
14 Th	03 15	☽#♅	B
	04 19	☽∠☉	b
	04 33	☿⊥♃	
	10 12	♀∥♄	
	12 39	☽△♆	G
	16 58	☽☌♃	G
	18 04	☽∠♄	b
	21 14	☽∥♂	B
	23 29	☽⊻♀	g
15 Fr	01 06	☿∠♂	
	01 42	☽✱♇	G
	02 15	☽⊻☿	g
	07 16	☿⊻♇	
	12 37	☽⊻☉	g
	14 08	☿☌♀	
	21 23	♀⊻♇	
	23 03	☽∥♃	G
16 Sa	00 08	☽⊻♄	g
	01 07	☽♐	
	07 38	☽∠♇	b
	09 57	☽⊻♂	g
	11 28	☉△♅	
	20 32	☽⚼♅	b
17 Su	00 27	☽□♆	B
	03 11	♄Q♆	
	05 22	♀∠♂	
	05 47	☽⊻♃	g
	08 56	☽☌☿	G
	13 20	♀⊥♃	
	13 53	☽⊻♇	g
	17 49	☽∠♂	b
	18 34	☽☌♀	G
18 Mo	02 46	☽△♅	G
	06 30	☽☌☉	D
	12 36	☽∠♃	b
	13 10	☽☌♄	B
	13 19	☽∥☿	G
	13 33	☽♑	
	19 34	☿⊻♃	
19 Tu	01 55	☽✱♂	G
	12 27	♂Q♇	
	13 16	☽✱♆	G
	17 54	☽⊻☿	g
	19 33	☽✱♃	G
20 We	02 54	☽☌♇	D
	04 49	♄♑	
	12 59	☽∥☿	G
	14 42	☽⊻♀	g
	15 37	☽□♅	B
	19 47	☽∠♆	b
	23 12	☽∠☿	b
	23 13	♀△♅	
21 Th	01 10	☽⊻☉	g
	01 48	☿⊥♂	
	02 29	☽♒	
	02 42	☽⊻♄	g
	09 27	☉Q♆	
	16 28	☉♑	
	18 13	☽□♂	B
	18 39	☉∥♀	
	19 45	☉∠♃	

Day	Time	Aspect	
	21 08	☉ ☌ ♄	
22 Fr	00 41	☽ ∠ ♀	b
	02 10	☽ ⚺ ♆	g
	04 54	☽ ⚹ ☿	G
	09 16	☽ □ ♃	B
	09 18	☽ ∠ ♄	b
	10 18	☽ ∠ ☉	b
	14 54	♃ ∠ ♄	
	15 44	☽ ⚺ ♇	g
	16 40	☽ ∥ ♃	G
23 Sa	01 52	☿ Stat	
	04 01	☽ ⚹ ♅	G
	08 23	☽ ∥ ♂	B
	10 13	☽ ⚹ ♀	G
	14 42	☽ ♓	
	15 30	☽ ⚹ ♄	G
	18 55	☽ ⚹ ☉	G
	21 37	☽ ∠ ♇	b
24 Su	09 09	☽ △ ♂	G
	09 32	☽ ∠ ♅	b
	13 43	☽ ☌ ♆	D
	15 23	☽ ⋕ ♅	B
	16 31	☽ □ ☿	B
	21 20	☽ △ ♃	G
	21 34	☽ ∥ ♆	D
25 Mo	00 57	♀ Q ♆	
	02 48	☽ ⚹ ♇	G
	05 26	♀ ♑	
	14 18	☽ ⚺ ♅	g
	15 26	☽ ⚼ ♂	b
	17 55	♀ ☌ ♄	
	22 15	♀ ∠ ♃	
26 Tu	00 27	☽ ♈	
	01 44	☽ □ ♄	B
	02 09	☽ ⚼ ♃	b
	02 30	☽ □ ♀	B
	09 20	☽ □ ☉	B
	22 09	☽ ⚺ ♆	g
27 We	02 26	☽ △ ☿	G
	10 25	☽ □ ♇	B
	20 57	☽ ☌ ♅	B
28 Th	00 52	☽ ∠ ♆	b
	05 59	♂ △ ♆	
	06 10	☽ ⚼ ☿	b
	06 23	☽ ♉	
	08 03	☽ △ ♄	G
	12 45	☽ ⋕ ♆	D
	13 37	☽ △ ♀	G
	18 22	☽ ∥ ♅	B
	18 47	☽ △ ☉	G
29 Fr	02 35	☽ ⚹ ♆	G
	03 29	☽ ☍ ♂	B
	09 41	☽ ⚼ ♄	b
	10 22	☽ ☍ ♃	B
	14 01	☽ △ ♇	G
	17 15	☽ ⚼ ♀	b
	21 43	☽ ⚼ ☉	b
	23 41	☽ ⚺ ♅	g
30 Sa	06 07	☽ ⋕ ♂	B
	08 31	☽ ♊	
	12 46	☽ ⋕ ♃	G
	14 32	☽ ⚼ ♇	b
	15 09	☿ ⚺ ♃	
	23 54	☽ ∠ ♅	b
31 Su	03 35	☽ □ ♆	B
	12 29	☽ ☍ ☿	B
	23 38	☽ ⚹ ♅	G

Longitudes of Chiron, 4 larger asteroids and the Black Moon Lilith 2017

		Chiron ⚷	Ceres ⚳	Pallas ⚴	Juno ⚵	Vesta ⚶	Black Moon Lilith ⚸
JANUARY	01	21 ♓ 07	22 ♈ 41	01 ♓ 14	19 ♐ 16	02 ♌ 12	25 ♏ 07
	11	21 ♓ 26	24 ♈ 17	04 ♓ 06	22 ♐ 38	29 ♋ 49	26 ♏ 15
	21	21 ♓ 50	26 ♈ 20	07 ♓ 07	25 ♐ 56	27 ♋ 11	27 ♏ 22
	31	22 ♓ 18	28 ♈ 47	10 ♓ 17	29 ♐ 08	24 ♋ 38	28 ♏ 29
FEBRUARY	01	22 ♓ 21	29 ♈ 03	10 ♓ 36	29 ♐ 27	24 ♋ 24	28 ♏ 36
	11	22 ♓ 52	01 ♉ 51	13 ♓ 53	02 ♑ 30	22 ♋ 19	29 ♏ 43
	21	23 ♓ 25	04 ♉ 56	17 ♓ 14	05 ♑ 25	20 ♋ 52	00 ♐ 50
	31	24 ♓ 00	08 ♉ 15	20 ♓ 40	08 ♑ 09	20 ♋ 11	01 ♐ 58
MARCH	01	23 ♓ 53	07 ♉ 34	19 ♓ 58	07 ♑ 37	20 ♋ 15	01 ♐ 44
	11	24 ♓ 29	11 ♉ 03	23 ♓ 26	10 ♑ 10	20 ♋ 11	02 ♐ 51
	21	25 ♓ 05	14 ♉ 41	26 ♓ 56	12 ♑ 28	20 ♋ 51	03 ♐ 59
	31	25 ♓ 41	18 ♉ 27	00 ♈ 28	14 ♑ 27	22 ♋ 10	05 ♐ 06
APRIL	01	25 ♓ 44	18 ♉ 50	00 ♈ 49	14 ♑ 38	22 ♋ 20	05 ♐ 12
	11	26 ♓ 19	22 ♉ 43	04 ♈ 20	16 ♑ 14	24 ♋ 17	06 ♐ 20
	21	26 ♓ 51	26 ♉ 42	07 ♈ 52	17 ♑ 26	26 ♋ 42	07 ♐ 27
	31	27 ♓ 20	00 ♊ 45	11 ♈ 22	18 ♑ 09	29 ♋ 33	08 ♐ 34
MAY	01	27 ♓ 20	00 ♊ 45	11 ♈ 22	18 ♑ 09	29 ♋ 33	08 ♐ 34
	11	27 ♓ 47	04 ♊ 52	14 ♈ 49	18 ♑ 20	02 ♌ 44	09 ♐ 41
	21	28 ♓ 09	09 ♊ 01	18 ♈ 14	17 ♑ 58	06 ♌ 12	10 ♐ 49
	31	28 ♓ 27	13 ♊ 12	21 ♈ 35	17 ♑ 00	09 ♌ 55	11 ♐ 56
JUNE	01	28 ♓ 29	13 ♊ 37	21 ♈ 55	16 ♑ 53	10 ♌ 18	12 ♐ 03
	11	28 ♓ 42	17 ♊ 49	25 ♈ 10	15 ♑ 20	14 ♌ 16	13 ♐ 10
	21	28 ♓ 49	22 ♊ 01	28 ♈ 18	13 ♑ 21	18 ♌ 23	14 ♐ 17
	31	28 ♓ 52	26 ♊ 14	01 ♉ 18	11 ♑ 05	22 ♌ 40	15 ♐ 24
JULY	01	28 ♓ 52	26 ♊ 14	01 ♉ 18	11 ♑ 05	22 ♌ 40	15 ♐ 24
	11	28 ♓ 49	00 ♋ 25	04 ♉ 07	08 ♑ 46	27 ♌ 05	16 ♐ 31
	21	28 ♓ 41	04 ♋ 36	06 ♉ 44	06 ♑ 36	01 ♍ 37	17 ♐ 38
	31	28 ♓ 29	08 ♋ 44	09 ♉ 04	04 ♑ 49	06 ♍ 15	18 ♐ 45
AUGUST	01	28 ♓ 27	09 ♋ 08	09 ♉ 17	04 ♑ 40	06 ♍ 43	18 ♐ 52
	11	28 ♓ 09	13 ♋ 13	11 ♉ 15	03 ♑ 26	11 ♍ 27	19 ♐ 59
	21	27 ♓ 48	17 ♋ 14	12 ♉ 48	02 ♑ 48	16 ♍ 16	21 ♐ 06
	31	27 ♓ 24	21 ♋ 09	13 ♉ 50	02 ♑ 47	21 ♍ 09	22 ♐ 13
SEPTEMBER	01	27 ♓ 21	21 ♋ 33	13 ♉ 55	02 ♑ 49	21 ♍ 38	22 ♐ 20
	11	26 ♓ 55	25 ♋ 21	14 ♉ 17	03 ♑ 27	26 ♍ 35	23 ♐ 27
	21	26 ♓ 27	29 ♋ 01	13 ♉ 55	04 ♑ 38	01 ♎ 36	24 ♐ 34
	31	26 ♓ 00	02 ♌ 32	12 ♉ 45	06 ♑ 19	06 ♎ 38	25 ♐ 41
OCTOBER	01	26 ♓ 00	02 ♌ 32	12 ♉ 45	06 ♑ 19	06 ♎ 38	25 ♐ 41
	11	25 ♓ 35	05 ♌ 49	10 ♉ 46	08 ♑ 25	11 ♎ 43	26 ♐ 48
	21	25 ♓ 11	08 ♌ 52	08 ♉ 05	10 ♑ 54	16 ♎ 50	27 ♐ 55
	31	24 ♓ 52	11 ♌ 36	04 ♉ 56	13 ♑ 43	21 ♎ 57	29 ♐ 02
NOVEMBER	01	24 ♓ 50	11 ♌ 51	04 ♉ 36	14 ♑ 01	22 ♎ 28	29 ♐ 09
	11	24 ♓ 35	14 ♌ 11	01 ♉ 23	17 ♑ 09	27 ♎ 36	00 ♑ 16
	21	24 ♓ 24	16 ♌ 03	28 ♈ 33	20 ♑ 32	02 ♏ 44	01 ♑ 23
	31	24 ♓ 19	17 ♌ 23	26 ♈ 27	24 ♑ 08	07 ♏ 50	02 ♑ 29
DECEMBER	01	24 ♓ 19	17 ♌ 23	26 ♈ 27	24 ♑ 08	07 ♏ 50	02 ♑ 29
	11	24 ♓ 20	18 ♌ 06	25 ♈ 18	27 ♑ 55	12 ♏ 54	03 ♑ 36
	21	24 ♓ 26	18 ♌ 07	25 ♈ 09	01 ♒ 53	17 ♏ 56	04 ♑ 43
	31	24 ♓ 38	17 ♌ 26	25 ♈ 58	05 ♒ 58	22 ♏ 53	05 ♑ 50

DISTANCES APART OF ALL ☌s AND ☍s IN 2017

Note: The Distances Apart are in Declination

JANUARY

Day	h m	Aspect	° ′
1	06 53	♂ ☌ ♆	0 01
2	07 59	☽ ☌ ♀	1 44
3	03 56	☽ ☌ ♆	0 21
3	06 36	☽ • ♂	0 13
6	04 15	☽ ☌ ♅	2 53
6	06 06	☽ ☍ ♃	2 18
7	06 45	☉ ☌ ♇	1 00
10	10 32	☽ ☍ ♄	3 36
10	21 38	☽ ☍ ☿	1 58
12	03 06	☽ ☍ ♇	2 44
12	11 34	☽ ☍ ☉	3 23
12	21 54	♀ ☌ ♆	0 20
15	22 08	☽ ☍ ♆	0 16
16	03 58	☽ ☍ ♀	0 38
16	19 02	☽ ☍ ♂	0 53
19	03 42	☽ ☍ ♅	2 58
19	07 27	☽ ☌ ♃	2 23
24	10 38	☽ ☌ ♄	3 36
25	23 58	☽ ☌ ☿	3 42
26	09 22	☽ ☌ ♇	2 44
28	00 07	☽ ☌ ☉	2 09
29	20 21	☿ ☌ ♇	1 11
30	11 17	☽ ☌ ♆	0 11
31	17 36	☽ ☌ ♀	3 34

FEBRUARY

Day	h m	Aspect	° ′
1	02 52	☽ ☌ ♂	2 02
2	10 30	☽ ☌ ♅	3 04
2	14 01	☽ ☍ ♃	2 25
6	22 53	☽ ☍ ♄	3 36
8	13 41	☽ ☍ ♇	2 45
9	15 25	☽ ☍ ☿	3 58
11	00 33	☽ ☍ ☉	0 57
12	09 42	☽ ☍ ♆	0 08
14	10 51	☽ ☍ ♀	6 16
14	21 42	☽ ☍ ♂	2 58
15	14 01	☽ ☍ ♅	3 07
15	16 54	☽ ☌ ♃	2 23
20	23 37	☽ ☌ ♄	3 34
22	19 34	☽ ☌ ♇	2 46
26	00 36	☽ ☌ ☿	2 16
26	14 58	☽ • ●	0 25
26	20 56	☽ ☌ ♆	0 05
27	00 19	♂ ☌ ♅	0 32
27	14 24	♂ ☍ ♃	1 24

MARCH

Day	h m	Aspect	° ′
1	02 55	☽ ☌ ♀	9 00
1	18 27	☽ ☌ ♅	3 10
1	18 43	☽ ☍ ♃	2 17
1	21 48	☽ ☌ ♂	3 50
2	02 44	☉ ☌ ♆	0 47
3	01 15	♃ ☍ ♅	0 53
4	11 10	☿ ☌ ♆	0 57
6	07 48	☽ ☍ ♄	3 31
7	00 29	☉ ☌ ☿	1 33
7	21 28	☽ ☍ ♇	2 45
11	20 08	☽ ☍ ♆	0 03
12	14 54	☽ ☍ ☉	1 34
13	02 36	☽ ☍ ☿	1 09
14	02 41	☽ ☍ ♀	10 31
14	21 52	☽ ☌ ♃	2 10
15	01 05	☽ ☍ ♅	3 11
15	23 38	☽ ☍ ♂	4 31
18	12 27	☿ ☌ ♀	7 51
20	10 37	☽ ☌ ♄	3 26
22	05 32	☽ ☌ ♇	2 42
24	12 45	☿ ☍ ♃	2 30
25	10 17	☉ ☌ ♀	7 36
26	08 23	☽ ☌ ♆	0 00
26	15 06	☿ ☌ ♅	1 58
27	19 59	☽ ☌ ♀	9 48
28	02 57	☽ ☌ ☉	2 43
28	22 38	☽ ☍ ♃	2 02
29	05 15	☽ ☌ ♅	3 12
29	11 33	☽ ☌ ☿	5 54
30	15 49	☽ ☌ ♂	5 04

APRIL

Day	h m	Aspect	° ′
2	14 43	☽ ☍ ♄	3 21
4	03 33	☽ ☍ ♇	2 38
7	21 39	☉ ☍ ♃	1 28
8	04 32	☽ ☍ ♆	0 04
9	08 07	☽ ☍ ♀	7 19
10	22 58	☽ ☌ ♃	1 55
11	06 08	☽ ☍ ☉	3 35
11	11 31	☽ ☍ ♅	3 14
12	07 40	☽ ☍ ☿	7 07
14	00 04	☽ ☍ ♂	5 24
14	05 30	☉ ☌ ♅	0 31
16	18 26	☽ ☌ ♄	3 14
18	13 58	☽ ☌ ♇	2 31
20	05 54	☉ ☌ ☿	1 32
22	19 57	☽ ☌ ♆	0 11
23	21 34	☽ ☌ ♀	4 29
25	03 24	☽ ☍ ♃	1 51
25	18 04	☽ ☌ ♅	3 17
25	20 29	☽ ☌ ☿	3 58
26	12 16	☽ ☌ ☉	4 20
28	09 16	☽ ☌ ♂	5 35
28	14 49	☿ ☌ ♅	0 06
29	21 28	☽ ☍ ♄	3 09

MAY

Day	h m	Aspect	° ′
1	10 00	☽ ☍ ♇	2 27
5	11 27	☽ ☍ ♆	0 16
7	03 22	☽ ☍ ♀	2 53
7	23 01	☽ ☌ ♃	1 50
8	19 42	☽ ☍ ☿	1 16
8	20 47	☽ ☍ ♅	3 20
10	05 20	☿ ☌ ♅	2 12
10	21 42	☽ ☍ ☉	4 46
12	22 45	☽ ☍ ♂	5 32
13	22 56	☽ ☌ ♄	3 04
15	20 24	☽ ☌ ♇	2 20
19	14 11	♀ ☍ ♃	0 16
20	05 51	☽ ☌ ♆	0 25
22	09 38	☽ ☍ ♃	1 55
22	14 09	☽ ☌ ♀	2 05
23	06 59	☽ ☌ ♅	3 27
24	02 13	☽ ☌ ☿	1 28
25	19 44	☽ ☌ ☉	4 54
27	02 21	☽ ☌ ♂	5 20
27	04 53	☽ ☍ ♄	3 04
28	18 05	☽ ☍ ♇	2 18
29	06 55	♂ ☍ ♄	2 13

JUNE

Day	h m	Aspect	° ′
1	18 15	☽ ☍ ♆	0 31
3	07 32	♀ ☌ ♅	1 35
4	01 44	☽ ☌ ♃	2 01
5	05 10	☽ ☍ ♅	3 32
5	08 57	☽ ☍ ♀	1 57
8	03 36	☽ ☍ ☿	3 42
9	13 10	☽ ☍ ☉	4 38
10	01 19	☽ ☌ ♄	3 04
10	19 50	☽ ☍ ♂	4 55
12	01 23	☽ ☌ ♇	2 15
15	10 18	☉ ☍ ♄	1 21
16	13 10	☽ ☌ ♆	0 39
18	17 28	☽ ☍ ♃	2 12
18	19 07	☿ ☍ ♄	2 01
19	18 05	☽ ☌ ♅	3 40
20	22 24	☽ ☌ ♀	2 11
21	14 14	☉ ☌ ☿	1 06
23	12 31	☽ ☍ ♄	3 09
24	02 31	☽ ☌ ☉	4 04
24	08 13	☽ ☌ ☿	5 17
24	19 09	☽ ☌ ♂	4 24
25	03 29	☽ ☍ ♇	2 16
28	19 50	☿ ☌ ♂	0 46
29	01 57	☽ ☍ ♆	0 42
30	00 36	☿ ☍ ♇	2 36

JULY

Day	h m	Aspect	° ′
1	09 32	☽ ☌ ♃	2 22
2	12 02	♂ ☍ ♇	1 47
2	13 16	☽ ☍ ♅	3 45
5	05 38	☽ ☍ ♀	2 29
7	03 34	☽ ☌ ♄	3 14
9	04 07	☽ ☍ ☉	3 07
9	06 06	☽ ☌ ♇	2 17
9	15 40	☽ ☍ ♂	3 43
10	04 35	☉ ☍ ♇	0 46
10	22 38	☽ ☍ ☿	2 52
13	18 27	☽ ☌ ♆	0 46
16	03 03	☽ ☍ ♃	2 35
17	02 19	☽ ☌ ♅	3 51
20	11 39	☽ ☌ ♀	2 42
20	19 32	☽ ☍ ♄	3 20
22	12 50	☽ ☍ ♇	2 21
23	09 46	☽ ☌ ☉	2 03
23	11 41	☽ ☌ ♂	3 01
24	14 54	♀ ☍ ♄	0 39
25	09 22	☽ • ☿	0 47
26	10 36	☽ ☍ ♆	0 47
27	00 57	☉ ☌ ♂	1 04
28	22 35	☽ ☌ ♃	2 45
29	21 30	☽ ☍ ♅	3 53

AUGUST

Day	h m	Aspect	° ′
3	07 37	☽ ☌ ♄	3 26
4	09 22	☽ ☍ ♀	2 38
5	11 37	☽ ☌ ♇	2 25
7	10 41	☽ ☍ ♂	2 12
7	18 11	☽ •–• ☉	0 46
9	18 51	☽ ☍ ☿	4 33
9	23 14	☽ ☌ ♆	0 46
12	14 48	☽ ☍ ♃	2 55
13	08 01	☽ ☌ ♅	3 54
15	11 17	♀ ☍ ♇	0 06
17	01 40	☽ ☍ ♄	3 30
18	20 45	☽ ☍ ♇	2 28
19	04 05	☽ ☌ ♀	2 13
21	03 55	☽ ☌ ♂	1 26
21	18 30	☽ • ●	0 24
22	09 40	☽ ☌ ☿	5 30
22	19 16	☽ ☍ ♆	0 44
25	15 31	☽ ☌ ♃	3 04
26	05 39	☽ ☍ ♅	3 53
26	20 42	☉ ☌ ☿	3 56
30	14 32	☽ ☌ ♄	3 32

SEPTEMBER

Day	h m	Aspect	° ′
1	18 29	☽ ☌ ♇	2 30
3	09 38	☿ ☌ ♂	3 12
3	15 49	☽ ☍ ♀	1 27
5	02 33	☽ ☍ ☿	1 58
5	05 15	☽ ☍ ♂	0 36
5	05 28	☉ ☍ ♆	0 52
6	05 07	☽ ☌ ♆	0 41
6	07 03	☽ ☍ ☉	1 38
9	05 15	☽ ☍ ♃	3 12
9	12 54	☽ ☌ ♅	3 50
13	07 47	☽ ☍ ♄	3 31
15	02 50	☽ ☍ ♇	2 30
16	19 01	☿ ☌ ♂	0 03
18	00 34	☽ • ♀	0 30
18	19 48	☽ • ♂	0 07
18	23 20	☽ • ☿	0 02
19	02 46	☽ ☍ ♆	0 39
20	03 49	☿ ☍ ♆	0 38
20	05 30	☽ ☌ ☉	2 38
22	10 27	☽ ☌ ♃	3 18
22	13 04	☽ ☍ ♅	3 47
24	19 49	♂ ☍ ♆	0 13
27	00 15	☽ ☌ ♄	3 27
28	04 25	♃ ☍ ♅	0 25
29	02 27	☽ ☌ ♇	2 27
30	00 12	♀ ☍ ♆	0 17

OCTOBER

Day	h m	Aspect	° ′
3	12 45	☽ ☌ ♆	0 40
3	21 34	☽ ☍ ♀	0 40
3	23 36	☽ ☍ ♂	0 54
5	14 01	☽ ☍ ☿	2 09
5	16 53	♀ ☌ ♂	0 11
5	18 40	☽ ☍ ☉	3 35
6	18 58	☽ ☌ ♅	3 44
6	22 38	☽ ☍ ♃	3 24
8	20 54	☉ ☌ ☿	1 01
10	15 41	☽ ☍ ♄	3 22
12	08 13	☽ ☍ ♇	2 22
15	07 52	☿ ☍ ♅	0 10
16	08 32	☽ ☍ ♆	0 41
17	11 27	☽ ☌ ♂	1 33
18	01 57	☽ ☌ ♀	1 43
18	08 54	☿ ☌ ♃	0 53
19	17 35	☉ ☍ ♅	0 34
19	19 04	☽ ☍ ♅	3 41
19	19 12	☽ ☌ ☉	4 15
20	05 41	☽ ☌ ♃	3 30
20	11 23	☽ ☌ ☿	4 41
24	11 55	☽ ☌ ♄	3 14
26	10 49	☽ ☌ ♇	2 15
26	18 09	☉ ☌ ♃	0 57
30	21 32	☽ ☌ ♆	0 47

NOVEMBER

Day	h m	Aspect	° ′
1	17 43	☽ ☍ ♂	2 15
3	00 30	☽ ☍ ♀	2 49
3	03 03	☽ ☌ ♅	3 41

Note: The Distances Apart are in Declination

3	18 26	☽☍♃	3 36	20	10 37	☽☌☿	6 50	4	17 46	☽☍♄	2 53	18	13 10	☽☌♄	2 47
4	05 02	♀☍♅	0 48	21	00 26	☽☌♄	2 59	4	19 13	☽☍☿	4 40	20	02 54	☽☌♇	1 53
4	05 23	☽☍☉	4 43	22	19 00	☽☌♇	2 02	6	01 07	☽☍♇	1 57	21	21 08	☉☌♄	0 54
5	09 28	☽☍☿	6 37	27	06 08	☽☌♆	1 01	6	12 05	☿☌♄	1 20	24	13 43	☽☌♆	1 16
7	02 57	☽☍♄	3 07	28	06 58	☿☌♄	3 04	9	19 29	☽☍♆	1 07	25	17 55	♀☌♄	1 08
8	15 06	☽☍♇	2 09	30	11 13	☽☍♂	3 20	13	01 49	☉☌☿	1 43	27	20 57	☽☌♅	3 59
12	13 23	☽☍♆	0 52	30	12 16	☽☌♅	3 48	13	03 49	☽☍♅	3 52	29	03 29	☽☍♂	4 04
13	08 15	♀☌♃	0 15	DECEMBER				13	19 23	☽☌♂	3 43	29	10 22	☽☍♃	3 58
15	03 09	☽☌♂	2 47					14	16 58	☽☌♃	3 53	31	12 29	☽☍☿	2 19
15	23 36	☽☍♅	3 43	1	10 05	♂☍♅	0 26	15	14 08	☿☌♀	2 11				
17	00 02	☽☌♃	3 41	1	15 08	☽☍♃	3 48	17	08 56	☽☌☿	1 44				
17	08 17	☽☌♀	3 37	3	00 37	☽☍♀	4 08	17	18 34	☽☌♀	4 07				
18	11 42	☽☌☉	4 49	3	15 47	☽☍☉	4 34	18	06 30	☽☌☉	3 53				

PHENOMENA IN 2017

d h JANUARY
4 15 ⊕ in perihelion
5 03 ☽ Zero Dec.
10 06 ☽ in Perigee
11 10 ☽ Max. Dec.18°N56′
12 13 ♀ Gt.Elong. 47 ° E.
17 18 ♀ ☊
18 00 ☽ Zero Dec.
19 10 ☿ Gt.Elong. 24 ° W.
22 00 ☽ in Apogee
25 12 ☽ Max. Dec.18°S54′
28 06 ☿ ☋

FEBRUARY
1 09 ☽ Zero Dec.
6 14 ☽ in Perigee
7 14 ☿ in aphelion
7 19 ☽ Max. Dec.18°N52′
14 09 ☽ Zero Dec.
16 22 ♃ in aphelion
18 21 ☽ in Apogee
20 17 ♀ in perihelion
21 21 ☽ Max. Dec.18°S51′
26 15 ● Annular eclipse
27 05 ♂ ☊
28 16 ☽ Zero Dec.

MARCH
3 07 ☽ in Perigee
7 01 ☽ Max. Dec.18°N52′
13 18 ☽ Zero Dec.
18 17 ☽ in Apogee
18 22 ☿ ☊
20 10 ☉ enters ♈,Equinox
21 05 ☽ Max. Dec.18°S55′
23 14 ☿ in perihelion
28 01 ☽ Zero Dec.
30 12 ☽ in Perigee

APRIL
1 10 ☿ Gt.Elong. 19 ° E.
3 06 ☽ Max. Dec.18°N59′
10 01 ☽ Zero Dec.
15 10 ☽ in Apogee
17 13 ☽ Max. Dec.19°S06′
24 12 ☽ Zero Dec.
26 05 ☿ ☋
27 16 ☽ in Perigee
30 14 ☽ Max. Dec.19°N11′

d h MAY
6 14 ☿ in aphelion
7 08 ☽ Zero Dec.
9 07 ♀ ☋
12 20 ☽ in Apogee
14 21 ☽ Max. Dec.19°S18′
21 23 ☽ Zero Dec.
26 01 ☽ in Perigee
28 00 ☽ Max. Dec.19°N22′

JUNE
3 13 ♀ Gt.Elong. 46 ° W.
3 15 ☽ Zero Dec.
8 22 ☽ in Apogee
11 04 ☽ Max. Dec.19°S26′
12 21 ♀ in aphelion
14 21 ☿ ☊
18 08 ☽ Zero Dec.
19 13 ☿ in perihelion
21 04 ☉ enters ♋,Solstice
23 11 ☽ in Perigee
24 11 ☽ Max. Dec.19°N26′
30 22 ☽ Zero Dec.

JULY
3 20 ⊕ in aphelion
6 04 ☽ in Apogee
8 11 ☽ Max. Dec.19°S26′
15 15 ☽ Zero Dec.
21 17 ☽ in Perigee
21 22 ☽ Max. Dec.19°N25′
23 04 ☿ ☋
28 07 ☽ Zero Dec.

AUGUST
2 13 ☿ in aphelion
2 18 ☽ in Apogee
4 18 ☽ Max. Dec.19°S24′
7 18 ◗ Partial eclipse
11 21 ☽ Zero Dec.
18 07 ☽ Max. Dec.19°N23′
18 13 ☽ in Perigee
21 18 ● Total eclipse
24 17 ☽ Zero Dec.
30 11 ☽ in Apogee
30 11 ♀ ☊

d h SEPTEMBER
1 02 ☽ Max. Dec.19°S24′
8 03 ☽ Zero Dec.
10 20 ☿ ☊
13 16 ☽ in Perigee
14 13 ☽ Max. Dec.19°N26′
15 12 ☿ in perihelion
21 01 ☽ Zero Dec.
22 20 ☉ enters ♎,Equinox
27 07 ☽ in Apogee
28 10 ☽ Max. Dec.19°S31′

OCTOBER
3 06 ♀ in perihelion
5 11 ☽ Zero Dec.
7 22 ♂ in aphelion
9 06 ☽ in Perigee
11 18 ☽ Max. Dec.19°N37′
18 09 ☽ Zero Dec.
19 03 ☿ ☋
25 03 ☽ in Apogee
25 18 ☽ Max. Dec.19°S44′
29 12 ☿ in aphelion

NOVEMBER
1 22 ☽ Zero Dec.
6 00 ☽ in Perigee
8 01 ☽ Max. Dec.19°N51′
14 16 ☽ Zero Dec.
21 19 ☽ in Apogee
22 02 ☽ Max. Dec.19°S57′
29 09 ☽ Zero Dec.

DECEMBER
4 09 ☽ in Perigee
5 12 ☽ Max. Dec.20°N01′
7 20 ☿ ☊
11 23 ☽ Zero Dec.
12 12 ☿ in perihelion
19 02 ☽ in Apogee
19 10 ☽ Max. Dec.20°S04′
20 00 ♀ ☋
21 16 ☉ enters ♑,Solstice
26 18 ☽ Zero Dec.

LOCAL MEAN TIME OF SUNRISE FOR LATITUDES
60° North to 50° South

FOR ALL SUNDAYS IN 2017. (ALL TIMES ARE **A.M.**)

Date.	NORTHERN LATITUDES									SOUTHERN LATITUDES				
	LONDON	60°	55°	50°	40°	30°	20°	10°	0°	10°	20°	30°	40°	50°
	H M	H M	H M	H M	H M	H M	H M	H M	H M	H M	H M	H M	H M	H M
2016 Dec. 25	8 5	9 4	8 25	7 58	7 20	6 54	6 32	6 14	5 56	5 39	5 20	4 58	4 30	3 49
2017 Jan. 1	8 6	9 3	8 26	7 59	7 22	6 56	6 35	6 17	6 0	5 43	5 24	5 3	4 35	3 56
,, 8	8 4	8 58	8 22	7 57	7 22	6 57	6 37	6 19	6 3	5 47	5 29	5 8	4 42	4 3
,, 15	8 0	8 49	8 16	7 53	7 20	6 57	6 38	6 21	6 6	5 50	5 33	5 13	4 48	4 13
,, 22	7 53	8 37	8 8	7 47	7 17	6 55	6 38	6 22	6 8	5 53	5 37	5 19	4 56	4 24
,, 29	7 44	8 22	7 58	7 39	7 12	6 52	6 37	6 23	6 10	5 56	5 42	5 25	5 4	4 35
Feb. 5	7 33	8 6	7 44	7 29	7 5	6 48	6 34	6 22	6 10	5 59	5 47	5 32	5 14	4 49
,, 12	7 21	7 48	7 31	7 17	6 58	6 43	6 31	6 21	6 11	6 1	5 50	5 37	5 22	5 0
,, 19	7 8	7 29	7 16	7 4	6 49	6 37	6 27	6 19	6 11	6 3	5 54	5 44	5 31	5 14
,, 26	6 53	7 9	6 59	6 51	6 39	6 30	6 22	6 16	6 10	6 4	5 57	5 49	5 39	5 25
Mar. 5	6 38	6 49	6 42	6 37	6 28	6 22	6 17	6 13	6 8	6 4	6 0	5 54	5 47	5 37
,, 12	6 23	6 28	6 24	6 22	6 18	6 14	6 12	6 9	6 7	6 4	6 1	5 58	5 53	5 47
,, 19	6 7	6 7	6 6	6 6	6 6	6 6	6 6	6 5	6 5	6 4	6 3	6 2	6 1	5 59
,, 26	5 51	5 46	5 48	5 51	5 55	5 57	5 59	6 1	6 2	6 4	6 5	6 7	6 9	6 11
Apr. 2	5 36	5 24	5 31	5 36	5 44	5 49	5 53	5 57	6 0	6 4	6 8	6 12	6 17	6 23
,, 9	5 20	5 3	5 13	5 21	5 32	5 41	5 48	5 53	5 58	6 3	6 9	6 15	6 22	6 31
,, 16	5 4	4 42	4 56	5 6	5 22	5 33	5 42	5 50	5 57	6 4	6 11	6 19	6 29	6 42
,, 23	4 49	4 22	4 39	4 52	5 12	5 25	5 36	5 46	5 55	6 4	6 13	6 23	6 36	6 53
,, 30	4 36	4 2	4 24	4 39	5 2	5 19	5 32	5 43	5 54	6 5	6 16	6 28	6 44	7 4
May 7	4 23	3 43	4 8	4 27	4 54	5 12	5 28	5 41	5 53	6 5	6 18	6 33	6 51	7 15
,, 14	4 11	3 26	3 55	4 16	4 46	5 8	5 24	5 39	5 53	6 6	6 20	6 37	6 57	7 25
,, 21	4 1	3 10	3 44	4 7	4 40	5 4	5 22	5 38	5 53	6 8	6 23	6 41	7 2	7 33
,, 28	3 52	2 56	3 34	4 0	4 35	5 0	5 20	5 38	5 54	6 10	6 26	6 45	7 9	7 42
June 4	3 47	2 46	3 26	3 54	4 32	4 59	5 20	5 38	5 54	6 11	6 28	6 48	7 13	7 48
,, 11	3 43	2 38	3 21	3 51	4 30	4 58	5 20	5 38	5 56	6 13	6 31	6 52	7 18	7 55
,, 18	3 42	2 35	3 19	3 50	4 30	4 59	5 20	5 40	5 57	6 15	6 33	6 55	7 21	7 59
,, 25	3 43	2 37	3 21	3 51	4 32	5 0	5 22	5 41	5 59	6 16	6 35	6 56	7 22	8 0
July 2	3 47	2 42	3 25	3 55	4 35	5 2	5 24	5 43	6 0	6 18	6 36	6 57	7 23	8 0
,, 9	3 53	2 52	3 32	4 0	4 39	5 5	5 26	5 44	6 1	6 18	6 36	6 56	7 21	7 57
,, 16	4 0	3 4	3 41	4 8	4 44	5 9	5 29	5 46	6 2	6 18	6 35	6 54	7 18	7 51
,, 23	4 9	3 18	3 52	4 16	4 49	5 13	5 32	5 48	6 3	6 17	6 33	6 51	7 13	7 44
,, 30	4 20	3 34	4 4	4 25	4 56	5 17	5 34	5 49	6 3	6 16	6 30	6 46	7 7	7 34
Aug. 6	4 30	3 51	4 16	4 35	5 2	5 21	5 37	5 50	6 2	6 14	6 28	6 42	7 0	7 25
,, 13	4 41	4 8	4 30	4 45	5 9	5 26	5 39	5 51	6 2	6 11	6 23	6 36	6 51	7 12
,, 20	4 52	4 25	4 42	4 56	5 15	5 30	5 41	5 51	6 0	6 9	6 18	6 29	6 42	6 59
,, 27	5 3	4 41	4 56	5 6	5 22	5 34	5 43	5 51	5 58	6 6	6 13	6 22	6 32	6 47
Sept. 3	5 14	4 58	5 8	5 17	5 29	5 38	5 45	5 51	5 56	6 2	6 7	6 14	6 21	6 32
,, 10	5 26	5 14	5 22	5 27	5 35	5 41	5 46	5 50	5 54	5 57	6 1	6 5	6 10	6 16
,, 17	5 36	5 31	5 34	5 38	5 42	5 45	5 48	5 50	5 51	5 52	5 54	5 56	5 58	6 0
,, 24	5 48	5 47	5 48	5 48	5 49	5 49	5 49	5 49	5 49	5 48	5 48	5 47	5 46	5 45
Oct. 1	5 59	6 4	6 2	5 59	5 56	5 53	5 51	5 49	5 47	5 45	5 43	5 40	5 37	5 32
,, 8	6 10	6 20	6 15	6 10	6 3	5 57	5 52	5 48	5 44	5 41	5 37	5 32	5 25	5 17
,, 15	6 22	6 38	6 28	6 21	6 10	6 1	5 55	5 48	5 43	5 37	5 30	5 22	5 13	5 0
,, 22	6 34	6 55	6 42	6 32	6 17	6 6	5 57	5 49	5 41	5 33	5 24	5 15	5 2	4 45
,, 29	6 46	7 13	6 56	6 44	6 25	6 11	6 0	5 50	5 40	5 31	5 20	5 8	4 53	4 33
Nov. 5	6 59	7 31	7 10	6 55	6 33	6 17	6 3	5 52	5 40	5 29	5 17	5 3	4 45	4 21
,, 12	7 11	7 49	7 25	7 7	6 41	6 22	6 7	5 54	5 41	5 28	5 14	4 58	4 38	4 10
,, 19	7 23	8 6	7 39	7 18	6 49	6 28	6 11	5 56	5 42	5 27	5 12	4 54	4 32	4 0
,, 26	7 34	8 23	7 52	7 29	6 57	6 34	6 15	5 59	5 44	5 29	5 12	4 53	4 28	3 53
Dec. 3	7 45	8 38	8 4	7 39	7 4	6 40	6 20	6 2	5 46	5 30	5 12	4 51	4 25	3 48
,, 10	7 54	8 50	8 13	7 47	7 10	6 45	6 24	6 6	5 49	5 32	5 14	4 52	4 25	3 46
,, 17	8 0	8 59	8 20	7 53	7 16	6 50	6 28	6 10	5 52	5 35	5 16	4 54	4 26	3 46
,, 24	8 4	9 3	8 24	7 57	7 20	6 53	6 32	6 13	5 56	5 38	5 19	4 57	4 29	3 48
,, 31	8 6	9 4	8 26	7 59	7 22	6 56	6 35	6 16	5 59	5 41	5 23	5 1	4 33	3 53
2018 Jan. 7	8 5	8 59	8 24	7 58	7 22	6 57	6 37	6 19	6 2	5 45	5 27	5 6	4 40	4 1

Example:—To find the time of Sunrise in Jamaica (Latitude 18°N.) on Saturday, June 17th, 2017. On June 11th L.M.T. = 5h. 20m. + 2/10 × 18m., = 5h. 24m., on June 18th L.M.T. = 5h. 20m. + 2/10 × 20m. = 5h. 24m. therefore L.M.T. on June 18th = 5h. 24m. + 6/7 × 0m. = 5h. 24m. A.M.

LOCAL MEAN TIME OF SUNSET FOR LATITUDES
60° North to 50° South

FOR ALL SUNDAYS IN 2017. (ALL TIMES ARE **P.M.**)

Date.	NORTHERN LATITUDES									SOUTHERN LATITUDES				
	LON-DON	60°	55°	50°	40°	30°	20°	10°	0°	10°	20°	30°	40°	50°
2016	H M	H M	H M	H M	H M	H M	H M	H M	H M	H M	H M	H M	H M	H M
Dec. 25	3 56	2 57	3 36	4 3	4 40	5 7	5 28	5 47	6 4	6 21	6 40	7 2	7 30	8 11
2017														
Jan. 1	4 1	3 5	3 42	4 9	4 45	5 11	5 32	5 50	6 7	6 25	6 43	7 5	7 32	8 12
,, 8	4 9	3 16	3 51	4 16	4 51	5 16	5 36	5 54	6 10	6 27	6 45	7 6	7 32	8 10
,, 15	4 19	3 31	4 2	4 26	4 59	5 22	5 41	5 58	6 13	6 28	6 45	7 5	7 29	8 4
,, 22	4 31	3 47	4 16	4 37	5 7	5 28	5 46	6 1	6 15	6 29	6 45	7 3	7 26	7 58
,, 29	4 43	4 5	4 30	4 48	5 15	5 34	5 50	6 4	6 17	6 30	6 44	7 1	7 21	7 51
Feb. 5	4 56	4 24	4 44	5 0	5 23	5 40	5 54	6 6	6 18	6 29	6 42	6 56	7 14	7 39
,, 12	5 8	4 42	4 59	5 12	5 32	5 46	5 58	6 8	6 18	6 28	6 38	6 51	7 6	7 28
,, 19	5 21	5 0	5 14	5 24	5 40	5 51	6 1	6 9	6 17	6 26	6 35	6 44	6 57	7 14
,, 26	5 34	5 18	5 28	5 36	5 48	5 57	6 4	6 10	6 16	6 23	6 29	6 37	6 47	7 1
Mar. 5	5 46	5 36	5 43	5 48	5 56	6 2	6 6	6 11	6 15	6 20	6 24	6 30	6 37	6 46
,, 12	5 58	5 53	5 56	5 59	6 3	6 6	6 9	6 11	6 13	6 15	6 18	6 21	6 26	6 31
,, 19	6 10	6 11	6 10	6 10	6 10	6 10	6 11	6 11	6 11	6 12	6 13	6 14	6 15	6 17
,, 26	6 22	6 28	6 24	6 22	6 18	6 15	6 13	6 11	6 9	6 7	6 5	6 4	6 2	5 59
Apr. 2	6 33	6 45	6 38	6 32	6 25	6 19	6 14	6 10	6 7	6 4	6 0	5 56	5 51	5 45
,, 9	6 45	7 2	6 52	6 43	6 32	6 23	6 16	6 10	6 5	6 0	5 54	5 48	5 41	5 31
,, 16	6 57	7 19	7 5	6 54	6 39	6 27	6 18	6 10	6 3	5 56	5 49	5 41	5 31	5 17
,, 23	7 9	7 36	7 19	7 5	6 46	6 32	6 20	6 11	6 2	5 53	5 43	5 33	5 20	5 3
,, 30	7 20	7 54	7 32	7 16	6 53	6 36	6 23	6 11	6 1	5 50	5 39	5 27	5 11	4 50
May 7	7 31	8 11	7 46	7 27	7 0	6 41	6 26	6 12	6 0	5 48	5 35	5 21	5 3	4 38
,, 14	7 42	8 28	7 58	7 37	7 7	6 45	6 28	6 13	6 0	5 46	5 31	5 15	4 55	4 27
,, 21	7 53	8 44	8 10	7 46	7 13	6 50	6 31	6 15	6 0	5 45	5 29	5 12	4 49	4 19
,, 28	8 2	8 59	8 22	7 55	7 19	6 54	6 34	6 17	6 1	5 45	5 28	5 9	4 45	4 12
June 4	8 9	9 11	8 30	8 2	7 24	6 58	6 37	6 18	6 2	5 45	5 27	5 7	4 42	4 7
,, 11	8 16	9 21	8 38	8 8	7 28	7 1	6 39	6 20	6 3	5 46	5 28	5 7	4 41	4 4
,, 18	8 20	9 26	8 42	8 12	7 31	7 3	6 41	6 22	6 4	5 47	5 29	5 8	4 41	4 3
,, 25	8 21	9 28	8 44	8 13	7 33	7 5	6 43	6 24	6 6	5 48	5 30	5 8	4 42	4 5
July 2	8 20	9 25	8 42	8 12	7 33	7 5	6 43	6 25	6 8	5 51	5 33	5 12	4 46	4 9
,, 9	8 16	9 18	8 37	8 9	7 31	7 4	6 43	6 25	6 8	5 53	5 35	5 15	4 49	4 14
,, 16	8 11	9 7	8 30	8 3	7 28	7 2	6 42	6 25	6 9	5 54	5 37	5 18	4 55	4 22
,, 23	8 3	8 53	8 20	7 56	7 23	6 59	6 41	6 25	6 10	5 55	5 39	5 21	4 59	4 29
,, 30	7 53	8 37	8 8	7 46	7 16	6 55	6 38	6 23	6 10	5 56	5 42	5 26	5 6	4 38
Aug. 6	7 41	8 19	7 54	7 36	7 9	6 50	6 35	6 21	6 9	5 57	5 44	5 30	5 12	4 47
,, 13	7 28	8 0	7 40	7 23	7 0	6 44	6 30	6 19	6 8	5 57	5 46	5 34	5 18	4 57
,, 20	7 14	7 41	7 23	7 10	6 51	6 37	6 25	6 16	6 7	5 58	5 49	5 38	5 25	5 8
,, 27	6 59	7 20	7 6	6 56	6 40	6 29	6 20	6 12	6 5	5 58	5 50	5 42	5 31	5 18
Sep. 3	6 44	6 59	6 49	6 41	6 29	6 21	6 14	6 8	6 3	5 57	5 52	5 46	5 38	5 28
,, 10	6 27	6 38	6 32	6 26	6 18	6 12	6 8	6 4	6 0	5 57	5 53	5 50	5 45	5 39
,, 17	6 12	6 17	6 14	6 11	6 7	6 4	6 1	6 0	5 58	5 56	5 55	5 53	5 51	5 49
,, 24	5 56	5 56	5 55	5 55	5 55	5 55	5 55	5 55	5 55	5 56	5 57	5 58	5 58	6 0
Oct. 1	5 40	5 34	5 38	5 40	5 44	5 46	5 49	5 51	5 53	5 56	5 58	6 1	6 5	6 10
,, 8	5 24	5 14	5 20	5 25	5 32	5 38	5 43	5 47	5 51	5 55	6 0	6 5	6 12	6 21
,, 15	5 9	4 53	5 2	5 10	5 22	5 30	5 37	5 43	5 49	5 55	6 2	6 10	6 20	6 33
,, 22	4 54	4 33	4 46	4 56	5 11	5 23	5 32	5 40	5 48	5 56	6 4	6 14	6 27	6 44
,, 29	4 40	4 14	4 30	4 43	5 2	5 16	5 28	5 38	5 47	5 57	6 8	6 20	6 35	6 56
Nov. 5	4 28	3 55	4 16	4 31	4 54	5 10	5 24	5 36	5 47	5 59	6 11	6 25	6 43	7 8
,, 12	4 16	3 38	4 2	4 21	4 47	5 6	5 21	5 35	5 48	6 1	6 15	6 31	6 51	7 19
,, 19	4 7	3 23	3 52	4 12	4 41	5 2	5 20	5 35	5 49	6 3	6 19	6 37	6 59	7 31
,, 26	3 59	3 11	3 42	4 5	4 37	5 1	5 19	5 36	5 51	6 7	6 24	6 43	7 8	7 43
Dec. 3	3 54	3 1	3 36	4 0	4 35	5 0	5 20	5 37	5 53	6 10	6 27	6 48	7 14	7 51
,, 10	3 51	2 55	3 32	3 58	4 35	5 1	5 21	5 39	5 56	6 14	6 32	6 54	7 21	8 1
,, 17	3 52	2 53	3 32	3 59	4 36	5 3	5 24	5 42	6 0	6 18	6 37	6 58	7 27	8 7
,, 24	3 55	2 56	3 34	4 2	4 40	5 6	5 27	5 46	6 3	6 20	6 39	7 1	7 30	8 10
,, 31	4 0	3 3	3 40	4 7	4 44	5 10	5 31	5 50	6 7	6 24	6 42	7 4	7 32	8 12
2018														
Jan. 7	4 8	3 14	3 50	4 16	4 50	5 15	5 36	5 53	6 10	6 26	6 44	7 5	7 32	8 10

Example:—To find the time of Sunset in Canberra (Latitude 35.3° S.) on Saturday, July 22nd, 2017. On July 16th L.M.T. = 5h. 18m. − 5.3/10 × 23m. = 5h. 6m., on July 23rd L.M.T. = 5h. 21m. − 5.3/10 × 22m. = 5h. 9m. therefore L.M.T. on July 22nd = 5h. 6m. + 6/7 × 3m. = 5h. 9m. P.M.

TABLES OF HOUSES FOR LONDON, Latitude 51° 32' N.

Sidereal Time.	10 ♈	11 ♉	12 ♊	Ascen ♋	2 ♌	3 ♍
H. M. S.	°	°	°	° '	°	°
0 0 0	0	9	22	26 36	12	3
0 3 40	1	10	23	27 17	13	3
0 7 20	2	11	24	27 56	14	4
0 11 0	3	12	25	28 42	15	5
0 14 41	4	13	25	29 17	15	6
0 18 21	5	14	26	29 55	16	7
0 22 2	6	15	27	0♌34	17	8
0 25 42	7	16	28	1 14	18	8
0 29 23	8	17	29	1 55	18	9
0 33 4	9	18	♋	2 33	19	10
0 36 45	10	19	1	3 14	20	11
0 40 26	11	20	1	3 54	20	12
0 44 8	12	21	2	4 33	21	13
0 47 50	13	22	3	5 12	22	14
0 51 32	14	23	4	5 52	23	15
0 55 14	15	24	5	6 30	23	15
0 58 57	16	25	6	7 9	24	16
1 2 40	17	26	6	7 50	25	17
1 6 23	18	27	7	8 30	26	18
1 10 7	19	28	8	9 9	26	19
1 13 51	20	29	9	9 48	27	19
1 17 35	21	♊	10	10 28	28	20
1 21 20	22	1	10	11 8	28	21
1 25 6	23	2	11	11 48	29	22
1 28 52	24	3	12	12 28	♍	23
1 32 38	25	4	13	13 8	1	24
1 36 25	26	5	14	13 48	1	25
1 40 12	27	6	14	14 28	2	25
1 44 0	28	7	15	15 8	3	26
1 47 48	29	8	16	15 48	4	27
1 51 37	30	9	17	16 28	4	28

Sidereal Time.	10 ♉	11 ♊	12 ♋	Ascen ♌	2 ♍	3 ♍
H. M. S.	°	°	°	° '	°	°
1 51 37	0	9	17	16 28	4	28
1 55 27	1	10	18	17 8	5	29
1 59 17	2	11	19	17 48	6	♎
2 3 8	3	12	19	18 28	7	1
2 6 59	4	13	20	19 9	8	2
2 10 51	5	14	21	19 49	9	2
2 14 44	6	15	22	20 29	9	3
2 18 37	7	16	22	21 10	10	4
2 22 31	8	17	23	21 51	11	5
2 26 25	9	18	24	22 32	11	6
2 30 20	10	19	25	23 14	12	7
2 34 16	11	20	25	23 55	13	8
2 38 13	12	21	26	24 36	14	9
2 42 10	13	22	27	25 17	15	10
2 46 8	14	23	28	25 58	15	11
2 50 7	15	24	29	26 40	16	12
2 54 7	16	25	29	27 22	17	12
2 58 7	17	26	♌	28 4	18	13
3 2 8	18	27	1	28 46	18	14
3 6 9	19	27	2	29 28	19	15
3 10 12	20	28	3	0♍12	20	16
3 14 15	21	29	3	0 54	21	17
3 18 19	22	♋	4	1 36	22	18
3 22 23	23	1	5	2 20	22	19
3 26 29	24	2	6	3 2	23	20
3 30 35	25	3	7	3 45	24	21
3 34 41	26	4	7	4 28	25	22
3 38 49	27	5	8	5 11	26	23
3 42 57	28	6	9	5 54	27	24
3 47 6	29	7	10	6 38	27	25
3 51 15	30	8	11	7 21	28	25

Sidereal Time.	10 ♊	11 ♋	12 ♌	Ascen ♍	2 ♍	3 ♎
H. M. S.	°	°	°	° '	°	°
3 51 15	0	8	11	7 21	28	25
3 55 25	1	9	12	8 5	29	26
3 59 36	2	10	12	8 49	♎	27
4 3 48	3	10	13	9 33	1	28
4 8 0	4	11	14	10 17	2	29
4 12 13	5	12	15	11 2	2	♏
4 16 26	6	13	16	11 46	3	1
4 20 40	7	14	17	12 30	4	2
4 24 55	8	15	17	13 15	5	3
4 29 10	9	16	18	14 0	6	4
4 33 26	10	17	19	14 45	7	5
4 37 42	11	18	20	15 30	8	6
4 41 59	12	19	21	16 15	8	7
4 46 16	13	20	21	17 0	9	8
4 50 34	14	21	22	17 45	10	9
4 54 52	15	22	23	18 30	11	10
4 59 10	16	23	24	19 16	12	11
5 3 29	17	24	25	20 3	13	12
5 7 49	18	25	26	20 49	14	13
5 12 9	19	25	27	21 35	14	14
5 16 29	20	26	28	22 20	15	14
5 20 49	21	27	28	23 6	16	15
5 25 9	22	28	29	23 51	17	16
5 29 30	23	29	♍	24 37	18	17
5 33 51	24	♌	1	25 23	19	18
5 38 12	25	1	2	26 9	20	19
5 42 34	26	2	3	26 55	21	20
5 46 55	27	3	4	27 41	21	21
5 51 17	28	4	4	28 27	22	22
5 55 38	29	5	5	29 13	23	23
6 0 0	30	6	6	30 0	24	24

Sidereal Time.	10 ♋	11 ♌	12 ♍	Ascen ♎	2 ♎	3 ♏
H. M. S.	°	°	°	° '	°	°
6 0 0	0	6	6	0 0	24	24
6 4 22	1	7	7	0 47	25	25
6 8 43	2	8	8	1 33	26	26
6 13 5	3	9	9	2 19	27	27
6 17 26	4	10	10	3 5	27	28
6 21 48	5	11	10	3 51	28	29
6 26 9	6	12	11	4 37	29	♐
6 30 30	7	13	12	5 23	♏	1
6 34 51	8	14	13	6 9	1	2
6 39 11	9	15	14	6 55	2	3
6 43 31	10	16	15	7 40	2	4
6 47 51	11	16	16	8 26	3	4
6 52 11	12	17	16	9 12	4	5
6 56 31	13	18	17	9 58	5	6
7 0 50	14	19	18	10 43	6	7
7 5 8	15	20	19	11 28	7	8
7 9 26	16	21	20	12 14	8	9
7 13 44	17	22	21	12 59	8	10
7 18 1	18	23	22	13 45	9	11
7 22 18	19	24	23	14 30	10	12
7 26 34	20	25	24	15 15	11	13
7 30 50	21	26	25	16 0	12	14
7 35 5	22	27	25	16 45	13	15
7 39 20	23	28	26	17 30	13	16
7 43 34	24	29	27	18 15	14	17
7 47 47	25	♍	28	18 59	15	18
7 52 0	26	1	29	19 43	16	19
7 56 12	27	2	29	20 27	17	20
8 0 24	28	3	♎	21 11	18	20
8 4 35	29	4	1	21 56	18	21
8 8 45	30	5	2	22 40	19	22

Sidereal Time.	10 ♌	11 ♍	12 ♎	Ascen ♎	2 ♏	3 ♐
H. M. S.	°	°	°	° '	°	°
8 8 45	0	5	2	22 40	19	22
8 12 54	1	5	3	23 24	20	23
8 17 3	2	6	3	24 7	21	24
8 21 11	3	7	4	24 50	22	25
8 25 19	4	8	5	25 34	23	26
8 29 26	5	9	6	26 18	23	27
8 33 31	6	10	7	27 1	24	28
8 37 37	7	11	8	27 44	25	29
8 41 41	8	12	8	28 26	26	♑
8 45 45	9	13	9	29 8	27	1
8 49 48	10	14	10	29 50	27	2
8 53 51	11	15	11	0♏32	28	3
8 57 52	12	16	12	1 15	29	4
9 1 53	13	17	12	1 58	♐	4
9 5 53	14	18	13	2 39	1	5
9 9 53	15	18	14	3 21	1	6
9 13 52	16	19	15	4 3	2	7
9 17 50	17	20	16	4 44	3	8
9 21 47	18	21	16	5 26	3	9
9 25 44	19	22	17	6 7	4	10
9 29 40	20	23	18	6 48	5	11
9 33 35	21	24	18	7 29	5	12
9 37 29	22	25	19	8 9	6	13
9 41 23	23	26	20	8 50	7	14
9 45 16	24	27	21	9 31	8	15
9 49 9	25	28	22	10 11	9	16
9 53 1	26	28	23	10 51	9	17
9 56 52	27	29	23	11 32	10	18
10 0 43	28	♎	24	12 12	11	19
10 4 33	29	1	25	12 53	12	20
10 8 23	30	2	26	13 33	13	20

Sidereal Time.	10 ♍	11 ♎	12 ♎	Ascen ♏	2 ♐	3 ♑
H. M. S.	°	°	°	° '	°	°
10 8 23	0	2	26	13 33	13	20
10 12 12	1	3	26	14 13	14	21
10 16 0	2	4	27	14 53	15	22
10 19 48	3	5	28	15 33	15	23
10 23 35	4	5	29	16 13	16	24
10 27 22	5	6	29	16 52	17	25
10 31 8	6	7	♏	17 32	18	26
10 34 54	7	8	1	18 12	19	27
10 38 40	8	9	2	18 52	20	28
10 42 25	9	10	2	19 31	20	29
10 46 9	10	11	3	20 11	21	♒
10 49 53	11	11	4	20 50	22	1
10 53 37	12	12	4	21 30	23	2
10 57 20	13	13	5	22 9	24	3
11 1 3	14	14	6	22 49	24	4
11 4 46	15	15	7	23 28	25	5
11 8 28	16	16	7	24 8	26	6
11 12 10	17	17	8	24 47	27	8
11 15 52	18	17	9	25 27	28	9
11 19 34	19	18	10	26 6	29	10
11 23 15	20	19	10	26 45	♑	11
11 26 56	21	20	11	27 25	0	12
11 30 37	22	21	12	28 5	1	13
11 34 18	23	22	13	28 44	2	14
11 37 58	24	23	13	29 24	3	15
11 41 39	25	23	14	0♐3	4	16
11 45 19	26	24	15	0 43	5	17
11 49 0	27	25	15	1 23	6	18
11 52 40	28	26	16	2 3	6	19
11 56 20	29	27	17	2 43	7	20
12 0 0	30	27	17	3 23	8	21

TABLES OF HOUSES FOR LONDON, Latitude 51° 32' *N.*

Sidereal Time.	10 ♎	11 ♎	12 ♏	Ascen ♐	2 ♑	3 ♒	Sidereal Time.	10 ♏	11 ♏	12 ♐	Ascen ♐	2 ♒	3 ♓	Sidereal Time.	10 ♐	11 ♐	12 ♑	Ascen ♑	2 ♓	3 ♉
H. M. S.	°	°	°	° '	°	°	H. M. S.	°	°	°	° '	°	°	H. M. S.	°	°	°	° '	°	°
12 0 0	0	27	17	3 23	8	21	13 51 37	0	22	10	25 20	10	27	15 51 15	0	18	6	27 15	26	6
12 3 40	1	28	18	4 4	9	23	13 55 27	1	23	11	26 10	11	28	15 55 25	1	19	7	28 42	28	7
12 7 20	2	29	19	4 45	10	24	13 59 17	2	24	11	27 2	12	♈	15 59 36	2	20	8	0♒11	♈	9
12 11 0	3	♏	20	5 26	11	25	14 3 8	3	25	12	27 53	14	1	16 3 48	3	21	9	1 42	2	10
12 14 41	4	1	20	6 7	12	26	14 6 59	4	26	13	28 45	15	2	16 8 0	4	22	10	3 16	3	11
12 18 21	5	1	21	6 48	13	27	14 10 51	5	26	14	29 36	16	4	16 12 13	5	23	11	4 53	5	12
12 22 2	6	2	22	7 29	14	28	14 14 44	6	27	15	0♑29	18	5	16 16 26	6	24	12	6 32	7	14
12 25 42	7	3	23	8 10	15	29	14 18 37	7	28	15	1 23	19	6	16 20 40	7	25	13	8 13	9	15
12 29 23	8	4	23	8 51	16	♓	14 22 31	8	29	16	2 18	20	8	16 24 55	8	26	14	9 57	11	16
12 33 4	9	5	24	9 33	17	2	14 26 25	9	♐	17	3 14	22	9	16 29 10	9	27	16	11 44	12	17
12 36 45	10	6	25	10 15	18	3	14 30 20	10	1	18	4 11	23	10	16 33 26	10	28	17	13 34	14	18
12 40 26	11	6	25	10 57	19	4	14 34 16	11	2	19	5 9	25	11	16 37 42	11	29	18	15 26	16	20
12 44 8	12	7	26	11 40	20	5	14 38 13	12	2	20	6 7	26	13	16 41 59	12	♑	19	17 20	18	21
12 47 50	13	8	27	12 22	21	6	14 42 10	13	3	20	7 6	28	14	16 46 16	13	1	20	19 18	20	22
12 51 32	14	9	28	13 4	22	7	14 46 8	14	4	21	8 6	29	15	16 50 34	14	2	21	21 22	21	23
12 55 14	15	10	28	13 47	23	9	14 50 7	15	5	22	9 8	♓	17	16 54 52	15	3	22	23 29	23	25
12 58 57	16	11	29	14 30	24	10	14 54 7	16	6	23	10 11	2	18	16 59 10	16	4	24	25 36	25	26
13 2 40	17	11	♐	15 14	25	11	14 58 7	17	7	24	11 15	4	19	17 3 29	17	5	25	27 46	27	27
13 6 23	18	12	1	15 59	26	12	15 2 8	18	8	25	12 20	6	21	17 7 49	18	6	26	0♓0	28	28
13 10 7	19	13	1	16 44	27	13	15 6 9	19	9	26	13 27	8	22	17 12 9	19	7	27	2 19	♉	29
13 13 51	20	14	2	17 29	28	15	15 10 12	20	9	27	14 35	9	23	17 16 29	20	8	29	4 40	2	♊
13 17 35	21	15	3	18 14	29	16	15 14 15	21	10	27	15 43	11	24	17 20 49	21	9	♒	7 2	3	1
13 21 20	22	16	4	19 0	♒	17	15 18 19	22	11	28	16 52	13	26	17 25 9	22	10	1	9 26	5	2
13 25 6	23	16	4	19 45	1	18	15 22 23	23	12	29	18 3	14	27	17 29 30	23	11	3	11 54	7	3
13 28 52	24	17	5	20 31	2	20	15 26 29	24	13	♑	19 16	16	28	17 33 51	24	12	4	14 24	8	5
13 32 38	25	18	6	21 18	4	21	15 30 35	25	14	1	20 32	17	29	17 38 12	25	13	5	17 0	10	6
13 36 25	26	19	7	22 6	5	22	15 34 41	26	15	2	21 48	19	♉	17 42 34	26	14	7	19 33	11	7
13 40 12	27	20	7	22 54	6	23	15 38 49	27	16	3	23 8	21	2	17 46 55	27	15	8	22 6	13	8
13 44 0	28	21	8	23 42	7	25	15 42 57	28	17	4	24 29	22	3	17 51 17	28	16	10	24 40	14	9
13 47 48	29	21	9	24 31	8	26	15 47 6	29	18	5	25 51	24	5	17 55 38	29	17	11	27 20	16	10
13 51 37	30	22	10	25 20	10	27	15 51 15	30	18	6	27 15	26	6	18 0 0	30	18	13	30 0	17	11

Sidereal Time.	10 ♑	11 ♑	12 ♒	Ascen ♈	2 ♉	3 ♊	Sidereal Time.	10 ♒	11 ♒	12 ♈	Ascen ♊	2 ♊	3 ♋	Sidereal Time.	10 ♓	11 ♈	12 ♉	Ascen ♋	2 ♋	3 ♌
H. M. S.	°	°	°	° '	°	°	H. M. S.	°	°	°	° '	°	°	H. M. S.	°	°	°	° '	°	°
18 0 0	0	18	13	0 0	17	11	20 8 45	0	24	4	2 45	24	12	22 8 23	0	3	20	4 38	20	8
18 4 22	1	20	14	2 39	19	13	20 12 54	1	25	6	4 9	25	12	22 12 12	1	4	21	5 28	21	8
18 8 43	2	21	16	5 19	20	14	20 17 3	2	27	7	5 32	26	13	22 16 0	2	6	23	6 17	22	9
18 13 5	3	22	17	7 55	22	15	20 21 11	3	28	9	6 53	27	14	22 19 48	3	7	24	7 5	23	10
18 17 26	4	23	19	10 29	23	16	20 25 19	4	29	11	8 12	28	15	22 23 35	4	8	25	7 53	23	11
18 21 48	5	24	20	13 2	25	17	20 29 26	5	♓	13	9 27	29	16	22 27 22	5	9	26	8 42	24	12
18 26 9	6	25	22	15 36	26	18	20 33 31	6	2	14	10 43	♋	17	22 31 8	6	10	28	9 29	25	13
18 30 30	7	26	23	18 6	28	19	20 37 37	7	3	16	11 58	1	18	22 34 54	7	12	29	10 16	26	14
18 34 51	8	27	25	20 34	29	20	20 41 41	8	4	18	13 9	2	19	22 38 40	8	13	♊	11 2	26	14
18 39 11	9	29	27	22 59	♊	21	20 45 45	9	6	19	14 18	3	20	22 42 25	9	14	1	11 47	27	15
18 43 31	10	♒	28	25 22	1	22	20 49 48	10	7	21	15 25	3	21	22 46 9	10	15	2	12 31	28	16
18 47 51	11	1	♓	27 42	2	23	20 53 51	11	8	23	16 32	4	21	22 49 53	11	17	3	13 16	29	17
18 52 11	12	2	2	29 58	4	24	20 57 52	12	9	24	17 39	5	22	22 53 37	12	18	4	14 1	29	18
18 56 31	13	3	3	2♉13	5	25	21 1 53	13	11	26	18 44	6	23	22 57 20	13	19	5	14 45	♌	19
19 0 50	14	4	5	4 24	6	26	21 5 53	14	12	28	19 48	7	24	23 1 3	14	20	6	15 28	1	19
19 5 8	15	6	7	6 30	8	27	21 9 53	15	13	29	20 51	8	25	23 4 46	15	21	7	16 11	2	20
19 9 26	16	7	9	8 36	9	28	21 13 52	16	15	♉	21 53	9	26	23 8 28	16	23	8	16 54	2	21
19 13 44	17	8	10	10 40	10	29	21 17 50	17	16	2	22 53	10	27	23 12 10	17	24	9	17 37	3	22
19 18 1	18	9	12	12 39	11	♋	21 21 47	18	17	4	23 52	10	28	23 15 52	18	25	10	18 20	4	23
19 22 18	19	10	14	14 35	12	1	21 25 44	19	19	5	24 51	11	28	23 19 34	19	26	11	19 3	5	24
19 26 34	20	12	16	16 28	13	2	21 29 40	20	20	7	25 48	12	29	23 23 15	20	27	12	19 45	5	24
19 30 50	21	13	18	18 17	14	3	21 33 35	21	22	8	26 44	13	♌	23 26 56	21	29	13	20 26	6	25
19 35 5	22	14	19	20 3	16	4	21 37 29	22	23	10	27 40	14	1	23 30 37	22	♉	14	21 8	7	26
19 39 20	23	15	21	21 48	17	5	21 41 23	23	24	11	28 34	15	2	23 34 18	23	1	15	21 50	7	27
19 43 34	24	16	23	23 29	18	6	21 45 16	24	25	13	29 29	15	3	23 37 58	24	2	16	22 31	8	28
19 47 47	25	18	25	25 9	19	7	21 49 9	25	26	14	0♋22	16	4	23 41 39	25	3	17	23 12	9	28
19 52 0	26	19	27	26 45	20	8	21 53 1	26	28	15	1 15	17	4	23 45 19	26	4	18	23 53	9	29
19 56 12	27	20	28	28 18	21	9	21 56 52	27	29	16	2 7	18	5	23 49 0	27	5	19	24 32	10	♍
20 0 24	28	21	♈	29 49	22	10	22 0 43	28	♈	18	2 57	19	6	23 52 40	28	6	20	25 15	11	1
20 4 35	29	23	2	1♊19	23	11	22 4 33	29	2	19	3 48	19	7	23 56 20	29	8	21	25 56	12	2
20 8 45	30	24	4	2 45	24	12	22 8 23	30	3	20	4 38	20	8	24 0 0	30	9	22	26 36	13	3

TABLES OF HOUSES FOR LIVERPOOL, *Latitude* 53° 25' N.

Sidereal Time.	10 ♈	11 ♉	12 ♊	Ascen ♋	2 ♌	3 ♍
H. M. S.	°	°	°	° '	°	°
0 0 0	0	9	24	28 12	14	3
0 3 40	1	10	25	28 51	14	4
0 7 20	2	12	25	29 30	15	4
0 11 0	3	13	26	0♌ 9	16	5
0 14 41	4	14	27	0 48	17	6
0 18 21	5	15	28	1 27	17	7
0 22 2	6	16	29	2 6	18	8
0 25 42	7	17	♋	2 44	19	9
0 29 23	8	18	1	3 22	19	10
0 33 4	9	19	1	4 1	20	10
0 36 45	10	20	2	4 39	21	11
0 40 26	11	21	3	5 18	22	12
0 44 8	12	22	4	5 56	22	13
0 47 50	13	23	5	6 34	23	14
0 51 32	14	24	6	7 13	24	14
0 55 14	15	25	6	7 51	24	15
0 58 57	16	26	7	8 30	25	16
1 2 40	17	27	8	9 8	26	17
1 6 23	18	28	9	9 47	26	18
1 10 7	19	29	10	10 25	27	19
1 13 51	20	♊	11	11 4	28	19
1 17 35	21	1	11	11 43	28	20
1 21 20	22	2	12	12 21	29	21
1 25 6	23	3	13	13 0	♍	22
1 28 52	24	4	14	13 39	1	23
1 32 38	25	5	15	14 17	1	24
1 36 25	26	6	15	14 56	2	25
1 40 12	27	7	16	15 35	3	25
1 44 0	28	8	17	16 14	3	26
1 47 48	29	9	18	16 53	4	27
1 51 37	30	10	18	17 32	5	28

Sidereal Time.	10 ♉	11 ♊	12 ♋	Ascen ♌	2 ♍	3 ♍
H. M. S.	°	°	°	° '	°	°
1 51 37	0	10	18	17 32	5	28
1 55 27	1	11	19	18 11	6	29
1 59 17	2	12	20	18 51	6	♎
2 3 8	3	13	21	19 30	7	1
2 6 59	4	14	22	20 9	8	2
2 10 51	5	15	22	20 49	9	2
2 14 44	6	16	23	21 28	9	3
2 18 37	7	17	24	22 8	10	4
2 22 31	8	18	25	22 48	11	5
2 26 25	9	19	25	23 28	12	6
2 30 20	10	20	26	24 8	12	7
2 34 16	11	21	27	24 48	13	8
2 38 13	12	22	28	25 28	14	9
2 42 10	13	23	29	26 8	15	10
2 46 8	14	24	29	26 49	15	10
2 50 7	15	25	♌	27 29	16	11
2 54 7	16	26	1	28 10	17	12
2 58 7	17	27	2	28 51	18	13
3 2 8	18	28	2	29 32	19	14
3 6 9	19	29	3	0♍13	19	15
3 10 12	20	29	4	0 54	20	16
3 14 15	21	♋	5	1 36	21	17
3 18 19	22	1	5	2 17	22	18
3 22 23	23	2	6	2 59	23	19
3 26 29	24	3	7	3 41	23	20
3 30 35	25	4	8	4 23	24	21
3 34 41	26	5	9	5 5	25	22
3 38 49	27	6	10	5 47	26	22
3 42 57	28	7	10	6 29	27	23
3 47 6	29	8	11	7 12	27	24
3 51 15	30	9	12	7 55	28	25

Sidereal Time.	10 ♊	11 ♋	12 ♌	Ascen ♍	2 ♍	3 ♎
H. M. S.	°	°	°	° '	°	°
3 51 15	0	9	12	7 55	28	25
3 55 25	1	10	13	8 37	29	26
3 59 36	2	11	13	9 20	♎	27
4 3 48	3	12	14	10 3	1	28
4 8 0	4	12	15	10 46	2	29
4 12 13	5	13	16	11 30	2	♏
4 16 26	6	14	17	12 13	3	1
4 20 40	7	15	18	12 56	4	2
4 24 55	8	16	18	13 40	5	3
4 29 10	9	17	19	14 24	6	4
4 33 26	10	18	20	15 8	7	5
4 37 42	11	19	21	15 52	7	6
4 41 59	12	20	21	16 36	8	6
4 46 16	13	21	22	17 20	9	7
4 50 34	14	22	23	18 4	10	8
4 54 52	15	23	24	18 48	11	9
4 59 10	16	24	25	19 32	12	10
5 3 29	17	24	26	20 17	12	11
5 7 49	18	25	26	21 1	13	12
5 12 9	19	26	27	21 46	14	13
5 16 29	20	27	28	22 31	15	14
5 20 49	21	28	29	23 16	16	15
5 25 9	22	29	♍	24 0	17	16
5 29 30	23	♌	1	24 45	18	17
5 33 51	24	1	1	25 30	18	18
5 38 12	25	2	2	26 15	19	19
5 42 34	26	3	3	27 0	20	20
5 46 55	27	4	4	27 45	21	21
5 51 17	28	5	5	28 30	22	21
5 55 38	29	6	6	29 15	23	22
6 0 0	30	7	7	30 0	23	23

Sidereal Time.	10 ♋	11 ♌	12 ♍	Ascen ♎	2 ♎	3 ♏
H. M. S.	°	°	°	° '	°	°
6 0 0	0	7	7	0 0	23	23
6 4 22	1	8	7	0 45	24	24
6 8 43	2	9	8	1 30	25	25
6 13 5	3	9	9	2 15	26	26
6 17 26	4	10	10	3 0	27	27
6 21 48	5	11	11	3 45	28	28
6 26 9	6	12	12	4 30	29	29
6 30 30	7	13	12	5 15	29	♐
6 34 51	8	14	13	6 0	♏	1
6 39 11	9	15	14	6 44	1	2
6 43 31	10	16	15	7 29	2	3
6 47 51	11	17	16	8 14	3	4
6 52 11	12	18	17	8 59	4	5
6 56 31	13	19	18	9 43	4	6
7 0 50	14	20	18	10 27	5	6
7 5 8	15	21	19	11 11	6	7
7 9 26	16	22	20	11 56	7	8
7 13 44	17	23	21	12 40	8	9
7 18 1	18	24	22	13 24	8	10
7 22 18	19	24	23	14 8	9	11
7 26 34	20	25	23	14 52	10	12
7 30 50	21	26	24	15 36	11	13
7 35 5	22	27	25	16 20	12	14
7 39 20	23	28	26	17 4	13	15
7 43 34	24	29	27	17 47	13	16
7 47 47	25	♍	28	18 30	14	17
7 52 0	26	1	28	19 13	15	18
7 56 12	27	2	29	19 57	16	18
8 0 24	28	3	♎	20 40	17	19
8 4 35	29	4	1	21 23	17	20
8 8 45	30	5	2	22 5	18	21

Sidereal Time.	10 ♌	11 ♍	12 ♎	Ascen ♎	2 ♏	3 ♐
H. M. S.	°	°	°	° '	°	°
8 8 45	0	5	2	22 5	18	21
8 12 54	1	6	2	22 48	19	22
8 17 3	2	7	3	23 30	20	23
8 21 11	3	8	4	24 13	20	24
8 25 19	4	8	5	24 55	21	25
8 29 26	5	9	6	25 37	22	26
8 33 31	6	10	7	26 19	23	27
8 37 37	7	11	7	27 1	24	28
8 41 41	8	12	8	27 43	25	29
8 45 45	9	13	9	28 24	25	♑
8 49 48	10	14	10	29 6	26	1
8 53 51	11	15	11	29 47	27	1
8 57 52	12	16	11	0♏28	28	2
9 1 53	13	17	12	1 9	28	3
9 5 53	14	18	13	1 50	29	4
9 9 53	15	19	14	2 31	♐	5
9 13 52	16	19	15	3 11	1	6
9 17 50	17	20	15	3 52	1	7
9 21 47	18	21	16	4 32	2	8
9 25 44	19	22	17	5 12	3	9
9 29 40	20	23	18	5 52	4	10
9 33 35	21	24	18	6 32	5	11
9 37 29	22	25	19	7 12	5	12
9 41 23	23	26	20	7 52	6	13
9 45 16	24	27	21	8 32	7	14
9 49 9	25	27	21	9 12	8	15
9 53 1	26	28	22	9 51	8	16
9 56 52	27	29	23	10 30	9	17
10 0 43	28	♎	24	11 9	10	17
10 4 33	29	1	24	11 49	11	18
10 8 23	30	2	25	12 28	11	19

Sidereal Time.	10 ♍	11 ♎	12 ♎	Ascen ♏	2 ♐	3 ♑
H. M. S.	°	°	°	° '	°	°
10 8 23	0	2	25	12 28	11	19
10 12 12	1	3	26	13 6	12	20
10 16 0	2	4	27	13 45	13	21
10 19 48	3	4	27	14 25	14	22
10 23 35	4	5	28	15 4	15	23
10 27 22	5	6	29	15 42	15	24
10 31 8	6	7	29	16 21	16	25
10 34 54	7	8	♏	17 0	17	26
10 38 40	8	9	1	17 39	18	27
10 42 25	9	10	2	18 17	18	28
10 46 9	10	10	2	18 55	19	29
10 49 53	11	11	3	19 34	20	♒
10 53 37	12	12	4	20 13	21	1
10 57 20	13	13	4	20 52	22	2
11 1 3	14	14	5	21 30	22	3
11 4 46	15	15	6	22 8	23	5
11 8 28	16	16	7	22 46	24	6
11 12 10	17	16	7	23 25	25	7
11 15 52	18	17	8	24 4	26	8
11 19 34	19	18	9	24 42	26	9
11 23 15	20	19	9	25 21	27	10
11 26 56	21	20	10	25 59	28	11
11 30 37	22	20	11	26 38	29	12
11 34 18	23	21	12	27 16	♑	13
11 37 58	24	22	12	27 54	1	14
11 41 39	25	23	13	28 33	1	15
11 45 19	26	24	14	29 11	2	16
11 49 0	27	25	14	29 50	3	17
11 52 40	28	26	15	0♐30	4	18
11 56 20	29	26	16	1 9	5	20
12 0 0	30	27	16	1 48	6	21

TABLES OF HOUSES FOR LIVERPOOL, Latitude 53° 25' *N.*

Sidereal Time.	10 ♎	11 ♎	12 ♏	Ascen ♐	2 ♑	3 ♒
H. M. S.	°	°	°	° '	°	°
12 0 0	0	27	16	1 48	6	21
12 3 40	1	28	17	2 27	7	22
12 7 20	2	29	18	3 6	8	23
12 11 0	3	♏	18	3 46	9	24
12 14 41	4	0	19	4 25	10	25
12 18 21	5	1	20	5 6	10	26
12 22 2	6	2	21	5 46	11	28
12 25 42	7	3	21	6 26	12	29
12 29 23	8	4	22	7 6	13	♓
12 33 4	9	4	23	7 46	14	1
12 36 45	10	5	24	8 27	15	2
12 40 26	11	6	24	9 8	16	3
12 44 8	12	7	25	9 49	17	5
12 47 50	13	8	26	10 30	18	6
12 51 32	14	9	26	11 12	19	7
12 55 14	15	9	27	11 54	20	8
12 58 57	16	10	28	12 36	21	10
13 2 40	17	11	28	13 19	22	11
13 6 23	18	12	29	14 2	23	12
13 10 7	19	13	♐	14 45	25	13
13 13 51	20	13	1	15 28	26	15
13 17 35	21	14	1	16 12	27	16
13 21 20	22	15	2	16 56	28	17
13 25 6	23	16	3	17 41	29	18
13 28 52	24	17	4	18 26	♒	19
13 32 38	25	17	4	19 11	1	21
13 36 25	26	18	5	19 57	3	22
13 40 12	27	19	6	20 44	4	23
13 44 0	28	20	7	21 31	5	24
13 47 48	29	21	7	22 18	7	26
13 51 37	30	21	8	23 6	8	27

Sidereal Time.	10 ♏	11 ♏	12 ♐	Ascen ♐	2 ♒	3 ♓
H. M. S.	°	°	°	° '	°	°
13 51 37	0	21	8	23 6	8	27
13 55 27	1	22	9	23 55	9	28
13 59 17	2	23	10	24 43	10	♈
14 3 8	3	24	10	25 33	12	1
14 6 59	4	25	11	26 23	13	2
14 10 51	5	26	12	27 14	15	4
14 14 44	6	26	13	28 6	16	5
14 18 37	7	27	13	28 59	18	6
14 22 31	8	28	14	29 52	19	8
14 26 25	9	29	15	0♑46	20	9
14 30 20	10	♐	16	1 41	22	10
14 34 16	11	1	17	2 36	23	11
14 38 13	12	2	18	3 33	25	13
14 42 10	13	2	18	4 30	26	14
14 46 8	14	3	19	5 29	28	16
14 50 7	15	4	20	6 29	♓	17
14 54 7	16	5	21	7 30	1	18
14 58 7	17	6	22	8 32	3	20
15 2 8	18	7	23	9 35	5	21
15 6 9	19	8	24	10 39	6	22
15 10 12	20	8	24	11 45	8	23
15 14 15	21	9	25	12 52	10	25
15 18 19	22	10	26	14 1	11	26
15 22 23	23	11	27	15 11	13	27
15 26 29	24	12	28	16 23	15	29
15 30 35	25	13	29	17 37	17	♉
15 34 41	26	14	♑	18 53	19	1
15 38 49	27	15	1	20 10	21	3
15 42 57	28	16	2	21 29	22	4
15 47 6	29	16	3	22 51	24	5
15 51 15	30	17	4	24 15	26	7

Sidereal Time.	10 ♐	11 ♐	12 ♑	Ascen ♑	2 ♓	3 ♉
H. M. S.	°	°	°	° '	°	°
15 51 15	0	17	4	24 15	26	7
15 55 25	1	18	5	25 41	28	8
15 59 36	2	19	6	27 10	♈	9
16 3 48	3	20	7	28 41	2	10
16 8 0	4	21	8	0♒14	4	12
16 12 13	5	22	9	1 50	5	13
16 16 26	6	23	10	3 30	7	14
16 20 40	7	24	11	5 13	9	15
16 24 55	8	25	12	6 58	11	17
16 29 10	9	26	13	8 46	13	18
16 33 26	10	27	14	10 38	15	19
16 37 42	11	28	15	12 32	17	20
16 41 59	12	29	16	14 31	19	22
16 46 16	13	♑	18	16 33	20	23
16 50 34	14	1	19	18 40	22	24
16 54 52	15	2	20	20 50	24	25
16 59 10	16	3	21	23 4	26	26
17 3 29	17	4	22	25 21	28	28
17 7 49	18	5	24	27 42	29	29
17 12 9	19	6	25	0♓ 8	♉	♊
17 16 29	20	7	26	2 37	3	1
17 20 49	21	8	28	5 10	5	3
17 25 9	22	9	29	7 46	6	4
17 29 30	23	10	♒	10 24	8	5
17 33 51	24	11	2	13 7	10	6
17 38 12	25	12	3	15 52	11	7
17 42 34	26	13	4	18 38	13	8
17 46 55	27	14	6	21 27	15	9
17 51 17	28	15	7	24 17	16	10
17 55 38	29	16	9	27 8	18	12
18 0 0	30	17	11	30 0	19	13

Sidereal Time.	10 ♑	11 ♑	12 ♒	Ascen ♈	2 ♉	3 ♊
H. M. S.	°	°	°	° '	°	°
18 0 0	0	17	11	0 0	19	13
18 4 22	1	18	12	2 52	21	14
18 8 43	2	20	14	5 43	23	15
18 13 5	3	21	15	8 33	24	16
18 17 26	4	22	17	11 22	25	17
18 21 48	5	23	19	14 8	27	18
18 26 9	6	24	20	16 53	28	19
18 30 30	7	25	22	19 36	♊	20
18 34 51	8	26	24	22 14	1	21
18 39 11	9	27	25	24 50	2	22
18 43 31	10	29	27	27 23	4	23
18 47 51	11	♒	28	29 52	5	24
18 52 11	12	1	♓	2♉18	6	25
18 56 31	13	2	2	4 39	8	26
19 0 50	14	4	4	6 56	9	27
19 5 8	15	5	6	9 10	10	28
19 9 26	16	6	8	11 20	11	29
19 13 44	17	7	10	13 27	12	♋
19 18 1	18	8	11	15 29	14	1
19 22 18	19	9	13	17 28	15	2
19 26 34	20	11	15	19 22	16	3
19 30 50	21	12	17	21 14	17	4
19 35 5	22	13	19	23 2	18	5
19 39 20	23	15	21	24 47	19	6
19 43 34	24	16	23	26 30	20	7
19 47 47	25	17	25	28 10	21	8
19 52 0	26	18	26	29 46	22	9
19 56 12	27	20	28	1♊19	23	10
20 0 24	28	21	♈	2 50	24	11
20 4 35	29	22	2	4 19	25	12
20 8 45	30	23	4	5 45	26	13

Sidereal Time.	10 ♒	11 ♒	12 ♈	Ascen ♊	2 ♊	3 ♋
H. M. S.	°	°	°	° '	°	°
20 8 45	0	23	4	5 45	26	13
20 12 54	1	25	6	7 9	27	14
20 17 3	2	26	8	8 31	28	14
20 21 11	3	27	9	9 50	29	15
20 25 19	4	29	11	11 7	♋	16
20 29 26	5	♓	13	12 23	1	17
20 33 31	6	1	15	13 37	2	18
20 37 37	7	3	17	14 49	3	19
20 41 41	8	4	19	15 59	4	20
20 45 45	9	5	20	17 8	5	21
20 49 48	10	7	22	18 15	6	22
20 53 51	11	8	24	19 21	7	22
20 57 52	12	10	25	20 25	7	23
21 1 53	13	11	27	21 28	8	24
21 5 53	14	12	29	22 30	9	25
21 9 53	15	13	♉	23 31	10	26
21 13 52	16	14	2	24 31	11	27
21 17 50	17	16	4	25 30	12	28
21 21 47	18	17	5	26 27	12	28
21 25 44	19	18	7	27 24	13	29
21 29 40	20	20	8	28 19	14	♌
21 33 35	21	21	10	29 14	15	1
21 37 29	22	22	11	0♋ 8	16	2
21 41 23	23	24	12	1 1	17	3
21 45 16	24	25	14	1 54	17	4
21 49 9	25	26	15	2 46	18	4
21 53 1	26	28	17	3 37	19	5
21 56 52	27	29	18	4 27	20	6
22 0 43	28	♈	20	5 17	20	7
22 4 33	29	2	21	6 5	21	8
22 8 23	30	3	22	6 54	22	8

Sidereal Time.	10 ♓	11 ♈	12 ♉	Ascen ♋	2 ♋	3 ♌
H. M. S.	°	°	°	° '	°	°
22 8 23	0	3	22	6 54	22	8
22 12 12	1	4	23	7 42	23	9
22 16 0	2	5	25	8 29	23	10
22 19 48	3	7	26	9 16	24	11
22 23 35	4	8	27	10 3	25	12
22 27 22	5	9	29	10 49	26	13
22 31 8	6	11	♊	11 34	26	13
22 34 54	7	12	1	12 19	27	14
22 38 40	8	13	2	13 3	28	15
22 42 25	9	14	3	13 48	29	16
22 46 9	10	16	4	14 32	29	17
22 49 53	11	17	5	15 15	♌	17
22 53 37	12	18	7	15 58	1	18
22 57 20	13	19	8	16 41	2	19
23 1 3	14	20	9	17 24	2	20
23 4 46	15	22	10	18 6	3	21
23 8 28	16	23	11	18 48	4	21
23 12 10	17	24	12	19 30	4	22
23 15 52	18	25	13	20 11	5	23
23 19 34	19	27	14	20 52	6	24
23 23 15	20	28	15	21 33	6	25
23 26 56	21	29	16	22 14	7	26
23 30 37	22	♉	17	22 54	8	26
23 34 18	23	1	18	23 34	9	27
23 37 58	24	2	19	24 14	9	28
23 41 39	25	4	20	24 54	10	29
23 45 19	26	5	21	25 35	11	♍
23 49 0	27	6	22	26 14	11	0
23 52 40	28	7	22	26 54	12	1
23 56 20	29	8	23	27 33	13	2
24 0 0	30	9	24	28 12	14	3

TABLES OF HOUSES FOR NEW YORK, Latitude 40° 43' *N.*

Sidereal Time.	10 ♈	11 ♉	12 ♊	Ascen ♋	2 ♌	3 ♍
H. M. S.	°	°	°	° '	°	°
0 0 0	0	6	15	18 53	8	1
0 3 40	1	7	16	19 38	9	2
0 7 20	2	8	17	20 23	10	3
0 11 0	3	9	18	21 12	11	4
0 14 41	4	11	19	21 55	12	5
0 18 21	5	12	20	22 40	12	5
0 22 2	6	13	21	23 24	13	6
0 25 42	7	14	22	24 8	14	7
0 29 23	8	15	23	24 54	15	8
0 33 4	9	16	23	25 37	15	9
0 36 45	10	17	24	26 22	16	10
0 40 26	11	18	25	27 5	17	11
0 44 8	12	19	26	27 50	18	12
0 47 50	13	20	27	28 33	19	13
0 51 32	14	21	28	29 18	19	13
0 55 14	15	22	28	0 ♌ 3	20	14
0 58 57	16	23	29	0 46	21	15
1 2 40	17	24	♋	1 31	22	16
1 6 23	18	25	1	2 14	22	17
1 10 7	19	26	2	2 58	23	18
1 13 51	20	27	3	3 43	24	19
1 17 35	21	28	3	4 27	25	20
1 21 20	22	29	4	5 12	25	21
1 25 6	23	♊	5	5 56	26	22
1 28 52	24	1	6	6 40	27	22
1 32 38	25	2	7	7 25	28	23
1 36 25	26	2	8	8 9	29	24
1 40 12	27	3	9	8 53	♍	25
1 44 0	28	4	10	9 38	1	26
1 47 48	29	5	10	10 24	1	27
1 51 37	30	6	11	11 8	2	28

Sidereal Time.	10 ♉	11 ♊	12 ♋	Ascen ♌	2 ♍	3 ♍
H. M. S.	°	°	°	° '	°	°
1 51 37	0	6	11	11 8	2	28
1 55 27	1	7	12	11 53	3	29
1 59 17	2	8	13	12 38	4	♎
2 3 8	3	9	14	13 22	5	1
2 6 59	4	10	15	14 8	5	2
2 10 51	5	11	15	14 53	6	3
2 14 44	6	12	16	15 39	7	4
2 18 37	7	13	17	16 24	8	4
2 22 31	8	14	18	17 10	9	5
2 26 25	9	15	19	17 56	10	6
2 30 20	10	16	20	18 41	10	7
2 34 16	11	17	20	19 27	11	8
2 38 13	12	18	21	20 14	12	9
2 42 10	13	19	22	21 0	13	10
2 46 8	14	19	23	21 47	14	11
2 50 7	15	20	24	22 33	15	12
2 54 7	16	21	25	23 20	16	13
2 58 7	17	22	25	24 7	17	14
3 2 8	18	23	26	24 54	17	15
3 6 9	19	24	27	25 42	18	16
3 10 12	20	25	28	26 29	19	17
3 14 15	21	26	29	27 17	20	18
3 18 19	22	27	♌	28 4	21	19
3 22 23	23	28	1	28 52	22	20
3 26 29	24	29	1	29 40	23	21
3 30 35	25	♋	2	0 ♍ 29	24	22
3 34 41	26	1	3	1 17	24	23
3 38 49	27	2	4	2 6	25	24
3 42 57	28	3	5	2 55	26	25
3 47 6	29	4	6	3 43	27	26
3 51 15	30	5	7	4 32	28	27

Sidereal Time.	10 ♊	11 ♋	12 ♌	Ascen ♍	2 ♍	3 ♎
H. M. S.	°	°	°	° '	°	°
3 51 15	0	5	7	4 32	28	27
3 55 25	1	6	8	5 22	29	28
3 59 36	2	6	8	6 10	♎	29
4 3 48	3	7	9	7 0	1	♏
4 8 0	4	8	10	7 49	2	1
4 12 13	5	9	11	8 40	3	2
4 16 26	6	10	12	9 30	4	3
4 20 40	7	11	13	10 19	4	4
4 24 55	8	12	14	11 10	5	5
4 29 10	9	13	15	12 0	6	6
4 33 26	10	14	16	12 51	7	7
4 37 42	11	15	16	13 41	8	8
4 41 59	12	16	17	14 32	9	9
4 46 16	13	17	18	15 23	10	10
4 50 34	14	18	19	16 14	11	11
4 54 52	15	19	20	17 5	12	12
4 59 10	16	20	21	17 56	13	13
5 3 29	17	21	22	18 47	14	14
5 7 49	18	22	23	19 39	15	15
5 12 9	19	23	24	20 30	16	16
5 16 29	20	24	25	21 22	17	17
5 20 49	21	25	25	22 13	18	18
5 25 9	22	26	26	23 5	18	19
5 29 30	23	27	27	23 57	19	20
5 33 51	24	28	28	24 49	20	21
5 38 12	25	29	29	25 40	21	22
5 42 34	26	♌	♍	26 32	22	22
5 46 55	27	1	1	27 25	23	23
5 51 17	28	2	2	28 16	24	24
5 55 38	29	3	3	29 8	25	25
6 0 0	30	4	4	30 0	26	26

Sidereal Time.	10 ♋	11 ♌	12 ♍	Ascen ♎	2 ♎	3 ♏
H. M. S.	°	°	°	° '	°	°
6 0 0	0	4	4	0 0	26	26
6 4 22	1	5	5	0 52	27	27
6 8 43	2	6	6	1 44	28	28
6 13 5	3	6	7	2 35	29	29
6 17 26	4	7	8	3 28	♏	♐
6 21 48	5	8	9	4 20	1	1
6 26 9	6	9	10	5 11	2	2
6 30 30	7	10	11	6 3	3	3
6 34 51	8	11	12	6 55	3	4
6 39 11	9	12	13	7 47	4	5
6 43 31	10	13	14	8 38	5	6
6 47 51	11	14	15	9 30	6	7
6 52 11	12	15	15	10 21	7	8
6 56 31	13	16	16	11 13	8	9
7 0 50	14	17	17	12 4	9	10
7 5 8	15	18	18	12 55	10	11
7 9 26	16	19	19	13 46	11	12
7 13 44	17	20	20	14 37	12	13
7 18 1	18	21	21	15 28	13	14
7 22 18	19	22	22	16 19	14	15
7 26 34	20	23	23	17 9	14	16
7 30 50	21	24	23	18 0	15	17
7 35 5	22	25	24	18 50	16	18
7 39 20	23	26	25	19 41	17	19
7 43 34	24	27	26	20 30	18	20
7 47 47	25	28	27	21 20	19	21
7 52 0	26	29	28	22 11	20	22
7 56 12	27	♍	29	23 0	21	23
8 0 24	28	1	♎	23 50	21	24
8 4 35	29	2	1	24 38	22	24
8 8 45	30	3	2	25 28	23	25

Sidereal Time.	10 ♌	11 ♍	12 ♎	Ascen ♎	2 ♏	3 ♐
H. M. S.	°	°	°	° '	°	°
8 8 45	0	3	2	25 28	23	25
8 12 54	1	4	3	26 17	24	26
8 17 3	2	5	4	27 5	25	27
8 21 11	3	6	5	27 54	26	28
8 25 19	4	7	6	28 43	27	29
8 29 26	5	8	7	29 31	28	♑
8 33 31	6	9	7	0 ♏ 20	28	1
8 37 37	7	10	8	1 8	29	2
8 41 41	8	11	9	1 56	♐	3
8 45 45	9	12	10	2 43	1	4
8 49 48	10	13	11	3 31	2	5
8 53 51	11	14	12	4 18	3	6
8 57 52	12	15	12	5 6	4	7
9 1 53	13	16	13	5 53	5	8
9 5 53	14	17	14	6 40	5	9
9 9 53	15	18	15	7 27	6	10
9 13 52	16	19	16	8 13	7	10
9 17 50	17	20	17	9 0	8	11
9 21 47	18	21	18	9 46	9	12
9 25 44	19	22	19	10 33	10	13
9 29 40	20	23	19	11 19	10	14
9 33 35	21	24	20	12 4	11	15
9 37 29	22	24	21	12 50	12	16
9 41 23	23	25	22	13 36	13	17
9 45 16	24	26	23	14 21	14	18
9 49 9	25	27	24	15 7	15	19
9 53 1	26	28	24	15 52	15	20
9 56 52	27	29	25	16 38	16	21
10 0 43	28	♎	26	17 22	17	22
10 4 33	29	1	27	18 7	18	23
10 8 23	30	2	28	18 52	19	24

Sidereal Time.	10 ♍	11 ♎	12 ♎	Ascen ♏	2 ♐	3 ♑
H. M. S.	°	°	°	° '	°	°
10 8 23	0	2	28	18 52	19	24
10 12 12	1	3	29	19 36	20	25
10 16 0	2	4	29	20 22	20	26
10 19 48	3	5	♏	21 7	21	27
10 23 35	4	6	1	21 51	22	28
10 27 22	5	7	1	22 35	23	28
10 31 8	6	7	2	23 20	24	29
10 34 54	7	8	3	24 4	25	♒
10 38 40	8	9	4	24 48	25	1
10 42 25	9	10	5	25 33	26	2
10 46 9	10	11	6	26 17	27	3
10 49 53	11	12	7	27 2	28	4
10 53 37	12	13	7	27 46	29	5
10 57 20	13	14	8	28 29	♑	6
11 1 3	14	15	9	29 14	1	7
11 4 46	15	16	10	29 57	1	8
11 8 28	16	17	11	0 ♐ 42	2	9
11 12 10	17	17	11	1 27	3	10
11 15 52	18	18	12	2 10	4	11
11 19 34	19	19	13	2 55	5	12
11 23 15	20	20	14	3 38	6	13
11 26 56	21	21	14	4 23	7	14
11 30 37	22	22	15	5 6	7	15
11 34 18	23	23	16	5 52	8	16
11 37 58	24	23	17	6 36	9	17
11 41 39	25	24	18	7 20	10	18
11 45 19	26	25	18	8 5	11	19
11 49 0	27	26	19	8 48	12	20
11 52 40	28	27	20	9 37	13	22
11 56 20	29	28	21	10 22	14	23
12 0 0	30	29	21	11 7	15	24

TABLES OF HOUSES FOR NEW YORK, Latitude 40º 43' *N.*

Sidereal Time.	10 ♎	11 ♎	12 ♏	Ascen ♐	2 ♑	3 ♒
H. M. S.	°	°	°	° '	°	°
12 0 0	0	29	21	11 7	15	24
12 3 40	1	♏	22	11 52	16	25
12 7 20	2	1	23	12 37	17	26
12 11 0	3	1	24	13 19	17	27
12 14 41	4	2	25	14 7	18	28
12 18 21	5	3	25	14 52	19	29
12 22 2	6	4	26	15 38	20	♓
12 25 42	7	5	27	16 23	21	1
12 29 23	8	6	28	17 11	22	2
12 33 4	9	6	28	17 58	23	3
12 36 45	10	7	29	18 45	24	4
12 40 26	11	8	♐	19 32	25	5
12 44 8	12	9	1	20 20	26	7
12 47 50	13	10	2	21 8	27	8
12 51 32	14	11	2	21 57	28	9
12 55 14	15	12	3	22 43	29	10
12 58 57	16	13	4	23 33	♒	11
13 2 40	17	13	5	24 22	1	12
13 6 23	18	14	6	25 11	2	13
13 10 7	19	15	7	26 1	3	15
13 13 51	20	16	7	26 51	5	16
13 17 35	21	17	8	27 40	6	17
13 21 20	22	18	9	28 32	7	18
13 25 6	23	19	10	29 23	8	19
13 28 52	24	19	10	0♑14	9	20
13 32 38	25	20	11	1 7	10	21
13 36 25	26	21	12	2 0	11	23
13 40 12	27	22	13	2 52	12	24
13 44 0	28	23	13	3 46	13	25
13 47 48	29	24	14	4 41	15	26
13 51 37	30	25	15	5 35	16	27

Sidereal Time.	10 ♏	11 ♏	12 ♐	Ascen ♑	2 ♒	3 ♓
H. M. S.	°	°	°	° '	°	°
13 51 37	0	25	15	5 35	16	27
13 55 27	1	25	16	6 30	17	29
13 59 17	2	26	17	7 27	18	♈
14 3 8	3	27	18	8 23	20	1
14 6 59	4	28	18	9 20	21	2
14 10 51	5	29	19	10 18	22	3
14 14 44	6	♐	20	11 16	23	5
14 18 37	7	1	21	12 15	24	6
14 22 31	8	2	22	13 15	26	7
14 26 25	9	2	23	14 16	27	8
14 30 20	10	3	24	15 17	28	9
14 34 16	11	4	24	16 19	♓	11
14 38 13	12	5	25	17 23	1	12
14 42 10	13	6	26	18 27	2	13
14 46 8	14	7	27	19 32	4	14
14 50 7	15	8	28	20 37	5	16
14 54 7	16	9	29	21 44	6	17
14 58 7	17	10	♑	22 51	8	18
15 2 8	18	10	1	23 59	9	19
15 6 9	19	11	2	25 9	11	20
15 10 12	20	12	3	26 19	12	22
15 14 15	21	13	4	27 31	14	23
15 18 19	22	14	5	28 43	15	24
15 22 23	23	15	6	29 57	16	25
15 26 29	24	16	6	1♒14	18	26
15 30 35	25	17	7	2 28	19	28
15 34 41	26	18	8	3 46	21	29
15 38 49	27	19	9	5 5	22	♉
15 42 57	28	20	10	6 25	24	1
15 47 6	29	21	11	7 46	25	3
15 51 15	30	21	13	9 8	27	4

Sidereal Time.	10 ♐	11 ♐	12 ♑	Ascen ♒	2 ♓	3 ♉
H. M. S.	°	°	°	° '	°	°
15 51 15	0	21	13	9 8	27	4
15 55 25	1	22	14	10 31	28	5
15 59 36	2	23	15	11 56	♈	6
16 3 48	3	24	16	13 23	1	7
16 8 0	4	25	17	14 50	3	9
16 12 13	5	26	18	16 9	4	10
16 16 26	6	27	19	17 50	6	11
16 20 40	7	28	20	19 22	7	12
16 24 55	8	29	21	20 56	9	13
16 29 10	9	♑	22	22 30	11	15
16 33 26	10	1	23	24 7	12	16
16 37 42	11	2	24	25 44	14	17
16 41 59	12	3	26	27 23	15	18
16 46 16	13	4	27	29 4	17	19
16 50 34	14	5	28	0♓45	18	20
16 54 52	15	6	29	2 27	20	22
16 59 10	16	7	♒	4 11	21	23
17 3 29	17	8	2	5 56	23	24
17 7 49	18	9	3	7 43	24	25
17 12 9	19	10	4	9 30	26	26
17 16 29	20	11	5	11 18	27	27
17 20 49	21	12	7	13 8	29	28
17 25 9	22	13	8	14 57	♉	♊
17 29 30	23	14	9	16 48	2	1
17 33 51	24	15	10	18 41	3	2
17 38 12	25	16	12	20 33	5	3
17 42 34	26	17	13	22 25	6	4
17 46 55	27	19	14	24 19	7	5
17 51 17	28	20	16	26 12	9	6
17 55 38	29	21	17	28 7	10	7
18 0 0	30	22	18	30 0	12	9

Sidereal Time.	10 ♑	11 ♑	12 ♒	Ascen ♈	2 ♉	3 ♊
H. M. S.	°	°	°	° '	°	°
18 0 0	0	22	18	0 0	12	9
18 4 22	1	23	20	1 53	13	10
18 8 43	2	24	21	3 48	14	11
18 13 5	3	25	23	5 41	16	12
18 17 26	4	26	24	7 35	17	13
18 21 48	5	27	25	9 27	18	14
18 26 9	6	28	27	11 19	20	15
18 30 30	7	29	28	13 12	21	16
18 34 51	8	♒	♓	15 3	22	17
18 39 11	9	2	1	16 52	23	18
18 43 31	10	3	3	18 42	25	19
18 47 51	11	4	4	20 30	26	20
18 52 11	12	5	5	22 17	27	21
18 56 31	13	6	7	24 4	29	22
19 0 50	14	7	9	25 49	♊	23
19 5 8	15	9	10	27 33	1	24
19 9 26	16	10	12	29 15	2	25
19 13 44	17	11	13	0♉56	3	26
19 18 1	18	12	15	2 37	4	27
19 22 18	19	13	16	4 16	6	28
19 26 34	20	14	18	5 53	7	29
19 30 50	21	16	19	7 30	8	♋
19 35 5	22	17	21	9 4	9	1
19 39 20	23	18	22	10 38	10	2
19 43 34	24	19	24	12 10	11	3
19 47 47	25	20	25	13 41	12	4
19 52 0	26	21	27	15 10	13	5
19 56 12	27	23	29	16 37	14	6
20 0 24	28	24	♈	18 4	15	7
20 4 35	29	25	2	19 29	16	8
20 8 45	30	26	3	20 52	17	9

Sidereal Time.	10 ♒	11 ♒	12 ♈	Ascen ♉	2 ♊	3 ♋
H. M. S.	°	°	°	° '	°	°
20 8 45	0	26	3	20 52	17	9
20 12 54	1	27	5	22 14	18	9
20 17 3	2	29	6	23 35	19	10
20 21 11	3	♓	8	24 55	20	11
20 25 19	4	1	9	26 14	21	12
20 29 26	5	2	11	27 32	22	13
20 33 31	6	3	12	28 46	23	14
20 37 37	7	5	14	0♊3	24	15
20 41 41	8	6	15	1 17	25	16
20 45 45	9	7	16	2 29	26	17
20 49 48	10	8	18	3 41	27	18
20 53 51	11	10	19	4 51	28	19
20 57 52	12	11	21	6 1	29	20
21 1 53	13	12	22	7 9	♋	20
21 5 53	14	13	24	8 16	1	21
21 9 53	15	14	25	9 23	2	22
21 13 52	16	16	26	10 30	3	23
21 17 50	17	17	28	11 33	4	24
21 21 47	18	18	29	12 37	5	25
21 25 44	19	19	♉	13 41	6	26
21 29 40	20	21	2	14 43	6	27
21 33 35	21	22	3	15 44	7	28
21 37 29	22	23	4	16 45	8	28
21 41 23	23	24	6	17 45	9	29
21 45 16	24	25	7	18 44	10	♌
21 49 9	25	27	8	19 42	11	1
21 53 1	26	28	9	20 40	12	2
21 56 52	27	29	11	21 37	12	3
22 0 43	28	♈	12	22 33	13	4
22 4 33	29	1	13	23 30	14	5
22 8 23	30	3	14	24 25	15	5

Sidereal Time.	10 ♓	11 ♈	12 ♉	Ascen ♊	2 ♋	3 ♌
H. M. S.	°	°	°	° '	°	°
22 8 23	0	3	14	24 25	15	5
22 12 12	1	4	15	25 19	16	6
22 16 0	2	5	17	26 14	17	7
22 19 48	3	6	18	27 8	17	8
22 23 35	4	7	19	28 0	18	9
22 27 22	5	8	20	28 53	19	10
22 31 8	6	10	21	29 46	20	11
22 34 54	7	11	22	0♋37	21	11
22 38 40	8	12	23	1 28	21	12
22 42 25	9	13	24	2 20	22	13
22 46 9	10	14	25	3 9	23	14
22 49 53	11	15	27	3 59	24	15
22 53 37	12	17	28	4 49	24	16
22 57 20	13	18	29	5 38	25	17
23 1 3	14	19	♊	6 27	26	17
23 4 46	15	20	1	7 17	27	18
23 8 28	16	21	2	8 3	28	19
23 12 10	17	22	3	8 52	28	20
23 15 52	18	23	4	9 40	29	21
23 19 34	19	24	5	10 28	♌	22
23 23 15	20	26	6	11 15	1	23
23 26 56	21	27	7	12 2	2	23
23 30 37	22	28	8	12 49	2	24
23 34 18	23	29	9	13 37	3	25
23 37 58	24	♉	10	14 22	4	26
23 41 39	25	1	11	15 8	5	27
23 45 19	26	2	12	15 53	5	28
23 49 0	27	3	12	16 41	6	29
23 52 40	28	4	13	17 23	7	29
23 56 20	29	5	14	18 8	8	♍
24 0 0	30	6	15	18 53	9	1

PROPORTIONAL LOGARITHMS FOR FINDING THE PLANETS' PLACES

DEGREES OR HOURS

Min	0	1	2	3	4	5	6	7	8	9	10	11	12	13	14	15	Min
0	3.1584	1.3802	1.0792	9031	7781	6812	6021	5351	4771	4260	3802	3388	3010	2663	2341	2041	**0**
1	3.1584	1.3730	1.0756	9007	7763	6798	6009	5341	4762	4252	3795	3382	3004	2657	2336	2036	**1**
2	2.8573	1.3660	1.0720	8983	7745	6784	5997	5330	4753	4244	3788	3375	2998	2652	2330	2032	**2**
3	2.6812	1.3590	1.0685	8959	7728	6769	5985	5320	4744	4236	3780	3368	2992	2646	2325	2027	**3**
4	2.5563	1.3522	1.0649	8935	7710	6755	5973	5310	4735	4228	3773	3362	2986	2640	2320	2022	**4**
5	2.4594	1.3454	1.0614	8912	7692	6741	5961	5300	4726	4220	3766	3355	2980	2635	2315	2017	**5**
6	2.3802	1.3388	1.0580	8888	7674	6726	5949	5289	4717	4212	3759	3349	2974	2629	2310	2012	**6**
7	2.3133	1.3323	1.0546	8865	7657	6712	5937	5279	4708	4204	3752	3342	2968	2624	2305	2008	**7**
8	2.2553	1.3258	1.0511	8842	7639	6698	5925	5269	4699	4196	3745	3336	2962	2618	2300	2003	**8**
9	2.2041	1.3195	1.0478	8819	7622	6684	5913	5259	4690	4188	3737	3329	2956	2613	2295	1998	**9**
10	2.1584	1.3133	1.0444	8796	7604	6670	5902	5249	4682	4180	3730	3323	2950	2607	2289	1993	**10**
11	2.1170	1.3071	1.0411	8773	7587	6656	5890	5239	4673	4172	3723	3316	2944	2602	2284	1988	**11**
12	2.0792	1.3010	1.0378	8751	7570	6642	5878	5229	4664	4164	3716	3310	2938	2596	2279	1984	**12**
13	2.0444	1.2950	1.0345	8728	7552	6628	5866	5219	4655	4156	3709	3303	2933	2591	2274	1979	**13**
14	2.0122	1.2891	1.0313	8706	7535	6614	5855	5209	4646	4148	3702	3297	2927	2585	2269	1974	**14**
15	1.9823	1.2833	1.0280	8683	7518	6600	5843	5199	4638	4141	3695	3291	2921	2580	2264	1969	**15**
16	1.9542	1.2775	1.0248	8661	7501	6587	5832	5189	4629	4133	3688	3284	2915	2574	2259	1965	**16**
17	1.9279	1.2719	1.0216	8639	7484	6573	5820	5179	4620	4125	3681	3278	2909	2569	2254	1960	**17**
18	1.9031	1.2663	1.0185	8617	7467	6559	5809	5169	4611	4117	3674	3271	2903	2564	2249	1955	**18**
19	1.8796	1.2607	1.0153	8595	7451	6546	5797	5159	4603	4109	3667	3265	2897	2558	2244	1950	**19**
20	1.8573	1.2553	1.0122	8573	7434	6532	5786	5149	4594	4102	3660	3258	2891	2553	2239	1946	**20**
21	1.8361	1.2499	1.0091	8552	7417	6519	5774	5139	4585	4094	3653	3252	2885	2547	2234	1941	**21**
22	1.8159	1.2445	1.0061	8530	7401	6505	5763	5129	4577	4086	3646	3246	2880	2542	2229	1936	**22**
23	1.7966	1.2393	1.0030	8509	7384	6492	5752	5120	4568	4079	3639	3239	2874	2536	2223	1932	**23**
24	1.7781	1.2341	1.0000	8487	7368	6478	5740	5110	4559	4071	3632	3233	2868	2531	2218	1927	**24**
25	1.7604	1.2289	0.9970	8466	7351	6465	5729	5100	4551	4063	3625	3227	2862	2526	2213	1922	**25**
26	1.7434	1.2239	0.9940	8445	7335	6451	5718	5090	4542	4055	3618	3220	2856	2520	2208	1917	**26**
27	1.7270	1.2188	0.9910	8424	7318	6438	5706	5081	4534	4048	3611	3214	2850	2515	2203	1913	**27**
28	1.7112	1.2139	0.9881	8403	7302	6425	5695	5071	4525	4040	3604	3208	2845	2509	2198	1908	**28**
29	1.6960	1.2090	0.9852	8382	7286	6412	5684	5061	4516	4032	3597	3201	2839	2504	2193	1903	**29**
30	1.6812	1.2041	0.9823	8361	7270	6398	5673	5051	4508	4025	3590	3195	2833	2499	2188	1899	**30**
31	1.6670	1.1993	0.9794	8341	7254	6385	5662	5042	4499	4017	3583	3189	2827	2493	2183	1894	**31**
32	1.6532	1.1946	0.9765	8320	7238	6372	5651	5032	4491	4010	3576	3183	2821	2488	2178	1889	**32**
33	1.6398	1.1899	0.9737	8300	7222	6359	5640	5023	4482	4002	3570	3176	2816	2483	2173	1885	**33**
34	1.6269	1.1852	0.9708	8279	7206	6346	5629	5013	4474	3994	3563	3170	2810	2477	2168	1880	**34**
35	1.6143	1.1806	0.9680	8259	7190	6333	5618	5003	4466	3987	3556	3164	2804	2472	2164	1875	**35**
36	1.6021	1.1761	0.9652	8239	7174	6320	5607	4994	4457	3979	3549	3157	2798	2467	2159	1871	**36**
37	1.5902	1.1716	0.9625	8219	7159	6307	5596	4984	4449	3972	3542	3151	2793	2461	2154	1866	**37**
38	1.5786	1.1671	0.9597	8199	7143	6294	5585	4975	4440	3964	3535	3145	2787	2456	2149	1862	**38**
39	1.5673	1.1627	0.9570	8179	7128	6282	5574	4965	4432	3957	3529	3139	2781	2451	2144	1857	**39**
40	1.5563	1.1584	0.9542	8159	7112	6269	5563	4956	4424	3949	3522	3133	2775	2445	2139	1852	**40**
41	1.5456	1.1540	0.9515	8140	7097	6256	5552	4947	4415	3942	3515	3126	2770	2440	2134	1848	**41**
42	1.5351	1.1498	0.9488	8120	7081	6243	5541	4937	4407	3934	3508	3120	2764	2435	2129	1843	**42**
43	1.5249	1.1455	0.9462	8101	7066	6231	5531	4928	4399	3927	3501	3114	2758	2430	2124	1838	**43**
44	1.5149	1.1413	0.9435	8081	7050	6218	5520	4918	4390	3919	3495	3108	2753	2424	2119	1834	**44**
45	1.5051	1.1372	0.9409	8062	7035	6205	5509	4909	4382	3912	3488	3102	2747	2419	2114	1829	**45**
46	1.4956	1.1331	0.9383	8043	7020	6193	5498	4900	4374	3905	3481	3096	2741	2414	2109	1825	**46**
47	1.4863	1.1290	0.9356	8023	7005	6180	5488	4890	4365	3897	3475	3089	2736	2409	2104	1820	**47**
48	1.4771	1.1249	0.9330	8004	6990	6168	5477	4881	4357	3890	3468	3083	2730	2403	2099	1816	**48**
49	1.4682	1.1209	0.9305	7985	6975	6155	5466	4872	4349	3882	3461	3077	2724	2398	2095	1811	**49**
50	1.4594	1.1170	0.9279	7966	6960	6143	5456	4863	4341	3875	3454	3071	2719	2393	2090	1806	**50**
51	1.4508	1.1130	0.9254	7947	6945	6131	5445	4853	4333	3868	3448	3065	2713	2388	2085	1802	**51**
52	1.4424	1.1091	0.9228	7929	6930	6118	5435	4844	4324	3860	3441	3059	2707	2382	2080	1797	**52**
53	1.4341	1.1053	0.9203	7910	6915	6106	5424	4835	4316	3853	3434	3053	2702	2377	2075	1793	**53**
54	1.4260	1.1015	0.9178	7891	6900	6094	5414	4826	4308	3846	3428	3047	2696	2372	2070	1788	**54**
55	1.4180	1.0977	0.9153	7873	6885	6081	5403	4817	4300	3838	3421	3041	2691	2367	2065	1784	**55**
56	1.4102	1.0939	0.9128	7854	6871	6069	5393	4808	4292	3831	3415	3034	2685	2362	2061	1779	**56**
57	1.4025	1.0902	0.9104	7836	6856	6057	5382	4798	4284	3824	3408	3028	2679	2356	2056	1774	**57**
58	1.3949	1.0865	0.9079	7818	6841	6045	5372	4789	4276	3817	3401	3022	2674	2351	2051	1770	**58**
59	1.3875	1.0828	0.9055	7800	6827	6033	5361	4780	4268	3809	3395	3016	2668	2346	2046	1765	**59**
	0	1	2	3	4	5	6	7	8	9	10	11	12	13	14	15	

RULE: – Add proportional log. of planet's daily motion to log. of time from noon, and the sum will be the log. of the motion required. Add this to planet's place at noon, if time be p.m., but subtract if a.m., and the sum will be planet's true place. If Retrograde, subtract for p.m., but add for a.m.

What is the Long. of ☽ January 20, 2017 at 5.00 p.m.?

☽ 's daily motion - 11d 52'21"

Prop. Log. of 11d 52'21"	.3057
Prop. Log. of 3h 00m	.6812
☽ 's motion in 5h.00m = 2d 29' or Log. . . .	.9869

☽ 's Long. = 6d ♏ 53' + 2d 29' = 9d ♏ 22'

The Daily Motions of the Sun, Moon, Mercury, Venus and Mars will be found on pages 26 to 28.